PRESENTATION DE LA DYNASTIE DES ASHTON

Installés dans un décor de rêve, les Ashton possèdent deux des plus grands vignobles de Californie, le Domaine de Louret et le Vignoble Ashton, et se livrent une concurrence acharnée, depuis que l'argent et le goût du pouvoir ont divisé les membres de la famille…

Mais laissez-moi vous présenter les Ashton d'un peu plus près et, en particulier, Spencer Ashton, l'homme par qui tout a commencé. En 1963, cet homme ambitieux et sans scrupules a quitté Crawley, Nebraska, pour aller faire fortune en Californie, n'hésitant pas à abandonner sa femme, Sally, et leurs jumeaux encore nourrissons.

Arrivé à Napa Valley, il a épousé Caroline Lattimer, l'héritière d'un immense vignoble et d'une banque d'affaires extrêmement prospère. Ayant réussi à s'attirer les bonnes grâces de son beau-père, Spencer parvient à devenir l'héritier de tous ses biens et, à la mort de ce dernier, il se retrouve à la tête d'une fortune colossale. Il quitte alors Caroline, et leurs quatre enfants, et se remarie à Lilah Jensen, dont il aura trois enfants. Abandonnés par leur père, et spoliés de tous leurs biens, les enfants de Spencer ont donc presque tous une revanche à prendre sur la vie.

Devenus adultes, le destin va leur permettre de rétablir la vérité sur leurs origines. Et surtout faire naître des liens beaucoup plus forts que ceux du sang : les liens de l'amour.

BRONWYN JAMESON

Insatiable lectrice, Bronwyn a passé toute son enfance le nez plongé dans les livres, avant de découvrir, à l'adolescence, le monde des romans sentimentaux qu'elle dévore avec ferveur. Pas étonnant, dès lors, qu'elle décide très vite de passer de l'autre côté du miroir, et de se mettre à écrire à son tour des romans qui vont charmer des milliers de lectrices.

Avec son mari et leurs trois fils, elle partage une passion pour les grands espaces australiens, où elle puise l'inspiration pour imaginer des histoires toujours plus intenses, pour notre plus grand bonheur.

Cet ouvrage a été publié en langue anglaise
sous le titre :
JUSTE A TASTE

Traduction française de
AURE BOUCHARD

HARLEQUIN®

est une marque déposée du Groupe Harlequin
et Passion® est une marque déposée d'Harlequin S.A.

Originally published by SILHOUETTE BOOKS,
division of Harlequin Enterprises Ltd.
Toronto, Canada

83-85, boulevard Vincent-Auriol, 75013 PARIS — Tél. : 01 42 16 63 63
Service Lectrices — Tél. : 01 45 82 47 47
ISBN 2-280-08444-9 — ISSN 0993-443X

BRONWYN JAMESON

Pour l'amour d'une Ashton

Collection *Passion*

éditions Harlequin

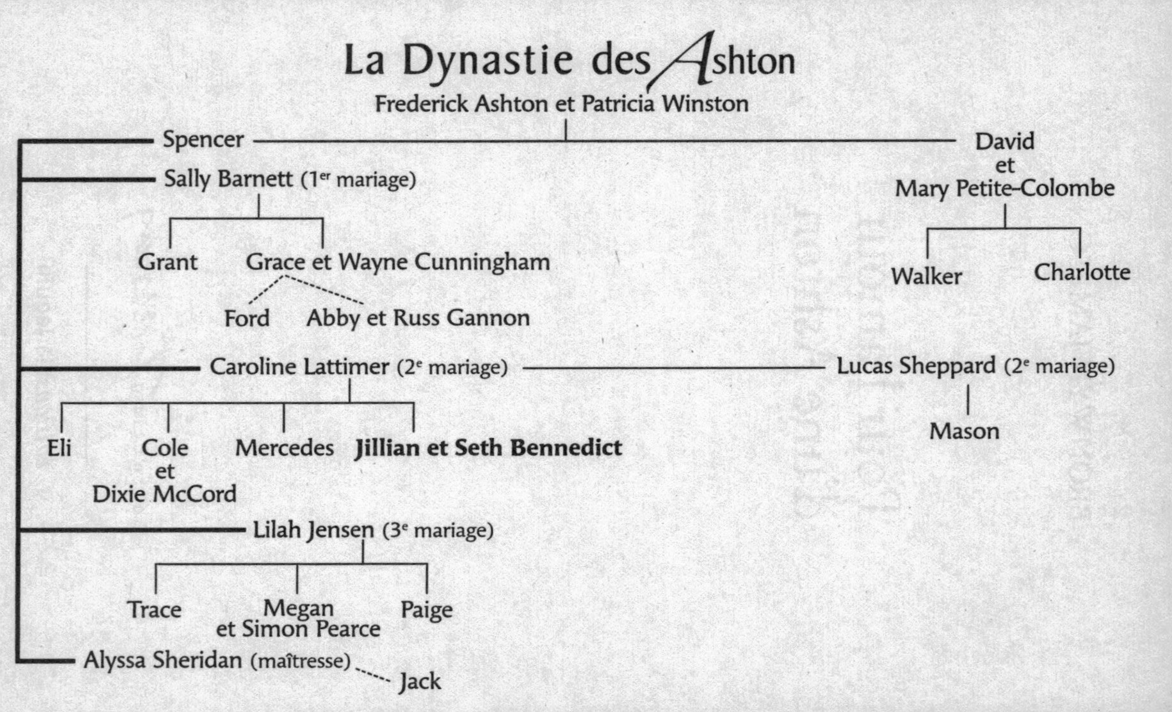
La Dynastie des Ashton
Frederick Ashton et Patricia Winston
Spencer
David
et
Mary Petite-Colombe
Walker
Charlotte
Sally Barnett (1er mariage)
Grant
Grace et Wayne Cunningham
Ford
Abby et Russ Gannon
Caroline Lattimer (2e mariage)
Lucas Sheppard (2e mariage)
Mason
Eli
Cole
et
Dixie McCord
Mercedes
Jillian et Seth Bennedict
Lilah Jensen (3e mariage)
Trace
Megan
et Simon Pearce
Paige
Alyssa Sheridan (maîtresse)
Jack

PRÉSENTATION DES PERSONNAGES

Les Ashton ne forment pas vraiment une famille comme les autres : leur seul point commun, c'est Spencer Ashton. Un homme sans états d'âme, qui a bâti sa fortune sur le mensonge et qui a spolié les siens.

Mais si les enfants de Spencer, nés de trois mariages différents, ne se connaissent pas, le destin, lui, va les mettre sur le même chemin…

Ce mois-ci, faites connaissance avec :

Jillian Ashton : cadette des enfants que Spencer a eus avec sa deuxième épouse, Jillian a perdu son mari dans un accident de voiture. Même si elle n'est pas une veuve éplorée — son mari la trompait et l'utilisait sans vergogne —, elle n'est pas prête à refaire confiance à un homme, et préfère se réfugier dans le travail. Pourtant, quand elle embauche Seth Bennedict pour un chantier au Domaine de Louret, ses certitudes vacillent.

Seth Bennedict : après la mort de sa femme, seule la présence de Rachel, leur petite fille, a permis à Seth de ne pas sombrer dans le désespoir. Car, en perdant sa femme, il a aussi perdu toutes ses illusions, en découvrant qu'elle le trompait avec son propre frère. Blessé dans son cœur et dans son orgueil il décide de consacrer désormais toute son énergie à son travail. Jusqu'à ce que son chemin croise celui de Jillian Ashton.

Prologue

Alors que les premières notes stridentes de la marche nuptiale retentissaient au cœur de la petite chapelle de Las Vegas, Spencer Ashton ne fit même pas l'effort de dissimuler son rictus. Il ferma les yeux et s'efforça d'oublier les colonnes en faux marbre et le plafond décoré d'une fresque d'un goût douteux représentant un ciel chargé de nuages.

Malheureusement, en cherchant à effacer cette vision, Spencer ne fit qu'éveiller au maximum ses autres sens, accentuant le mauvais son de la cassette enregistrée, intensifiant le parfum entêtant des énormes bouquets de fleurs et des bougies parfumées qui flottaient autour de lui.

Il serra les poings. Tout de même, au vu du sacrifice qu'il s'apprêtait à consentir, il aurait bien mérité d'avoir sa cathédrale, un orgue grandiloquent et une chorale ! Une cérémonie digne de son renoncement, devant les plus hauts dignitaires de la ville. Spencer aurait aimé sentir leur poignée de main assurée alors qu'ils le félicitaient et l'accueillaient au sein de leur élite. Plus que tout cela, que n'aurait-il pas donné pour voir le puissant John Lattimer, son patron et mentor depuis cinq ans, lui donner solennellement la main de sa fille, devant toute la communauté assemblée. Et lui octroyer ainsi la clé de sa banque d'investissements, mais également l'accès à la fortune colossale du clan Lattimer.

A cette pensée, une onde de satisfaction parcourut Spencer, et changea son rictus en un demi-sourire. A son côté, Caroline crut lire dans ses pensées. Desserrant légèrement la main qu'elle tenait agrippée à son coude, elle se pencha vers lui et murmura :

— Oh, Spencer, je suis aussi heureuse que toi !

Spencer n'eut pas le courage de corriger cette ineptie.

Après tout, s'il n'avait pu obtenir la cérémonie dont il rêvait, il allait au moins pouvoir jouir de son résultat. Il serra la main tremblante de Caroline dans la sienne et la regarda droit dans les yeux.

— Tu es une très belle mariée, Caroline.

Ces mots lui coûtaient si peu en regard de ce qu'ils allaient lui rapporter. Aussi peu que les niaiseries romantiques dont il avait abreuvé Caroline afin de la séduire. Aussi peu que la promesse d'amour éternel qui avait précédé sa demande en mariage, sur le mode « Marions-nous-sur-le-champ-ma-chérie-je-ne-peux-plus-attendre ! ».

Spencer retint un sourire ironique. Certes, l'idée de ce mariage à la sauvette ne l'enchantait guère, mais il ne pouvait se permettre de risquer les complications d'un mariage en grande pompe, avec les inévitables questions qu'une telle cérémonie aurait engendrées à propos de sa famille. Spencer Ashton n'avait aucune famille digne de ce nom, sinon celle qu'il s'apprêtait à rejoindre par le biais de ce mariage, une des plus grandes de Californie. Bientôt, il serait assis à la droite de son beau-père, à la direction de la Lattimer Corporation. Et en temps voulu, cette entreprise deviendrait la Ashton-Lattimer Corporation.

Cette seule perspective valait bien alors de renoncer aux cloches de cathédrale qui résonnaient dans son imagination. A la place résonnait la mélodie glorieuse d'un avenir assuré.

Tout ce qu'il avait à faire, c'était donner l'impression d'adorer la jolie blonde effacée qui allait devenir sa femme.

Le pasteur entra enfin dans la chapelle en s'excusant pour son retard. Il devait être pressé d'expédier la cérémonie, vu la façon dont il se lança sans plus de préambules dans les propos d'usage. Spencer l'écouta d'une oreille distraite, tout en lorgnant sur le collier de perles de famille de Caroline.

Si elle ne lui plaisait ni physiquement, ni par ses ambitions ou son caractère, par bien d'autres aspects, la fille de John Lattimer représentait la femme idéale : discrète et aimable, généreuse et posée, riche. Et surtout sur le point d'hériter la fortune de son père.

Spencer sourit et plongea dans les yeux humides et embués de Caroline, alors que pour la deuxième fois de sa vie, il prononçait des vœux niais et un « oui » sans signification. Intérieurement, il se promit de passer assez de temps dans le lit de Caroline afin de lui faire suffisamment d'enfants pour l'occuper et la tenir à l'écart de ses affaires. Plus ils seraient nombreux, et plus l'association des noms Ashton et Lattimer se révèlerait sécurisée et profitable.

Alors que le pasteur les déclarait mari et femme, Spencer se sentit envahi d'une euphorie si intense qu'il en eut presque le souffle coupé.

Il avait parcouru un très long chemin depuis sa ferme natale de Crawley, dans le Nebraska, et aujourd'hui il parvenait à ses fins. Et ce n'était pas par hasard. S'il réussissait, c'était simplement parce qu'il avait été suffisamment intelligent pour concrétiser ses ambitions.

Tout ce qu'il avait toujours voulu, tout ce qu'il méritait, tout ce qui comptait le plus à ses yeux allait bientôt lui appartenir.

Absolument tout.

1.

Napa Valley, Californie, trente-huit ans plus tard

Lorsqu'elle s'était enfuie pour Las Vegas afin d'épouser Jason Bennedict, Jillian Ashton avait agi sur un coup de tête. Un coup de tête que seuls sa naïveté et les sentiments profonds qu'elle éprouvait pour son fiancé avaient rendu possible. Ce mariage équivalait alors à un audacieux pari pour la jeune Jillian. Et cinq ans plus tard, quand son mari avait trouvé la mort dans un tragique accident de voiture survenu en pleine nuit, elle avait tout perdu.

Un mari volage et beau-parleur, sa maison, ses économies, son travail, et le peu d'amour-propre qui lui restait encore.

En un clin d'œil, tout s'était évanoui.

Deux ans plus tard, Jillian avait retrouvé un foyer et un emploi dans l'entreprise viticole de sa famille, au cœur de la Napa Valley. Quant à son amour-propre… elle venait enfin de trouver l'occasion de le redorer. Voilà pourquoi aujourd'hui, parfaitement à l'aise dans son tailleur de femme d'affaires, elle faisait face à son frère dans la salle de réunion du Domaine de Louret, lui exposant son projet avec éloquence. En tant que directeur commercial du vignoble, Cole contrôlait les cordons de la bourse. Elle savait que Cole n'était pas facile à convaincre, tant sur le plan professionnel que personnel.

Et pourtant…

— Tu veux dire que tu es d'accord sur toute la ligne ? demanda Jillian d'un ton suspicieux en désignant le tableau sur lequel elle avait détaillé le projet à l'aide d'un rétroprojecteur. Tu me donnes le feu vert sur *toutes* les transformations que je propose ?

Elle pria pour que Cole ne soit pas en train de lui faire une mauvaise blague.

— Ne te méprends pas, Jillie. Tout ce que je dis, c'est que ton idée mérite que l'on y réfléchisse. Fais donc établir des devis, nous en rediscuterons ensuite.

— Mais… Et le reste de ma présentation ?

— Tu veux parler de tes jolis plans d'aménagement ? dit Cole en s'appuyant au dossier de son fauteuil, l'air plus amusé qu'impressionné par l'argumentaire impeccable que sa sœur avait concocté. Garde donc la suite pour la réunion de lundi prochain ! Je dois filer, j'ai un rendez-vous à 10 heures.

Jillian inspira une profonde bouffée d'air. Rien n'obligeait Cole à l'appeler par son surnom de petite fille. Ni de rajouter avec sarcasme l'adjectif « jolis » devant « plans d'aménagement ». La condescendance paternaliste de ses grands frères lui restait toujours en travers de la gorge. Mais en tant que petite dernière arrivant après deux garçons et une fille, elle s'était plus ou moins résignée à sa destinée.

En y réfléchissant, elle se dit qu'elle en avait peut-être fait un peu trop avec sa présentation ultra-documentée pour une simple réunion de travail en famille — d'autant que seuls Cole et son chien avaient répondu présents. Mais elle avait voulu impressionner. Voilà des mois qu'elle réfléchissait à la rénovation de la salle de dégustation du domaine.

Ce projet lui tenait à cœur plus que tout autre.

C'était un défi à la fois professionnel et personnel qui nécessitait une certaine créativité. Jillian avait beaucoup de choses à prouver à sa famille… et à elle-même.

— Combien de temps devraient durer les travaux, Jillie ?

Sur la défensive, Jillian sentit ses épaules se crisper. Décidément, à trente ans passés, elle avait bien besoin de sortir du rôle de l'éternelle petite sœur ! Elle avait peut-être raté son mariage, mais au moins était-elle diplômée en viticulture et œnologie. Et depuis dix-huit mois, elle dirigeait avec succès la salle de dégustation du Domaine de Louret.

Maîtrisant son agacement, elle rangea soigneusement tout son matériel de présentation avant de répondre à Cole.

— Dix à quinze jours ; cela dépendra de l'emploi du temps de l'entrepreneur que nous aurons sélectionné.

— Tu as déjà fait une liste d'artisans ?

Jillian sourit affectueusement et tapota son classeur.

— J'allais y venir vers la fin de ma présentation. Combien de devis veux-tu que je fasse établir ?

— Autant que tu le souhaites, du moment que Seth Bennedict fait partie de la liste, dit Cole en la fixant du regard. Cela ne te pose pas de problème, j'espère ?

Oh, que si ! Jillian s'efforça d'oublier le nœud de panique qui venait de se former au creux de sa gorge et scruta Cole.

— Non. Bien sûr que non.

— Parfait ! acquiesça-t-il. S'il s'avère que Seth est ton homme, je suis sûr que tu ne le regretteras pas.

— Si tu le dis…

Son classeur sous le bras, Jillian quitta la salle de réunion d'un air résolument calme. Elle s'appuya brièvement contre la porte de bois après l'avoir refermée, afin de retrouver l'équilibre que ses jambes en coton avaient manqué de lui faire perdre. Mais son émoi se transforma bientôt en irritation alors qu'elle regagnait son bureau, le plus exigu des six bureaux aménagés au-dessus des chais et de la salle de dégustation.

S'il s'avère que Seth est ton homme, je suis sûr que tu ne le regretteras pas.

Ce que Cole ignorait, c'est qu'elle avait déjà mené son enquête. Et il était vrai qu'auprès des habitants de la Napa Valley, dès que l'on parlait de travaux de rénovation, le nom de Seth était sur toutes les lèvres.

— Seth Bennedict n'est pas *mon homme* ! marmonna-t-elle en s'affalant dans le fauteuil derrière son bureau.

L'expression utilisée par son frère agaçait Jillian au plus haut point. Car Seth Bennedict n'avait rien d'un homme banal. Ce grand ténébreux au regard pénétrant n'hésitait pas à prendre les choses en main quand cela était nécessaire.

Mais il était aussi le frère de Jason, son défunt mari. Et la seule personne au monde à connaître les détails les plus humiliants du mariage désastreux de Jillian et Jason.

Lorsqu'à la mort de Jason, elle avait refusé l'aide de Seth, il était passé outre ses objections et était parvenu à redresser la désastreuse situation financière dans laquelle son frère avait laissé Jillian. Ce qui signifiait aussi qu'il savait pertinemment à quel point elle avait été crédule et assez stupide pour laisser son mari l'entraîner dans ses affaires véreuses.

Les doigts de Jillian se refermèrent sur l'accoudoir rembourré du fauteuil. Si elle réussissait la rénovation de la salle de dégustation, elle aurait enfin l'impression de s'être débarrassée de l'emprise de son passé. Et si pour cela elle devait travailler avec Seth Bennedict malgré le lien qu'il représentait avec ses années sombres, qu'à cela ne tienne.

D'ailleurs, elle allait s'occuper de cela dès maintenant. Avant de changer d'avis.

Elle saisit son sac et secoua la tête tristement. Sa vie avait pris une telle tournure que Jillian avait à présent l'impression d'avoir oublié comment en profiter. Il était temps aussi de changer tout cela.

Seth Bennedict savait profiter de la vie et des satisfactions du travail bien fait. Rien de tel que de sentir ses muscles se contracter sous le poids d'un lourd marteau, et quelques gouttes de sueur ruisseler sur sa peau sous l'effet de l'effort.

Malheureusement, il n'avait plus assez souvent l'occasion de profiter de tels moments. La rançon du succès d'un bon entrepreneur voulait qu'il passe plus de temps à répondre aux clients et à planifier le travail de ses employés qu'à travailler sur les chantiers. Voilà pourquoi Seth se réjouissait de fêter son trente-huitième anniversaire en démolissant des murs.

Même s'il s'était réveillé ce matin en faisant un rêve dans lequel il avait trouvé une façon beaucoup plus agréable de fêter son anniversaire. Un rêve qui avait laissé son corps et son esprit en émoi.

Mais le téléphone avait sonné — Lou, le contremaître du chantier de la *Villa Firenze*, se faisait porter malade — et avant même qu'il ne raccroche le combiné, sa fille Rachel s'était jetée sur son lit, en sautillant et en hurlant sans discontinuer « Joyeux anniversaire, Papa ! ».

Le téléphone avait de nouveau sonné, puis Rosa, son employée de maison, était venue chercher la petite fille et demander à Seth ce qu'il prendrait pour le petit déjeuner. Après son rêve si agréable, la réalité s'était brutalement rappelée à lui.

Une réalité comprenant une entreprise florissante, un téléphone qui sonnait sans arrêt, et une enfant de trois ans pour qui il aurait tout donné. Avec une telle vie, Seth n'avait même pas le temps de fantasmer après un rêve matinal.

Il cligna des yeux, gêné par la poussière occasionnée par les décombres, visa de nouveau le mur avec son marteau et…

— Patron !

Seth se retourna et vit un de ses ouvriers debout dans ce qui restait de l'embrasure de la porte.

— Vous avez une... euh... une visiteuse, balbutia Tony, désignant une silhouette derrière lui.

Seth soupira en s'efforçant de ne pas paraître désagréable. Si jamais ses employés lui avaient de nouveau loué les services d'une strip-teaseuse comme cadeau d'anniversaire, il les licenciait un par un sur-le-champ. Il posa ses outils avec réticence, ôta son masque et ses lunettes anti-poussières.

« Pitié, faites au moins qu'elle ne pose pas ses mains sur moi ! » songea-t-il aussitôt.

Mais lorsqu'il leva les yeux, il se trouva face à une tout autre surprise que celle qu'il redoutait. Seth sentit ses veines s'embraser à la vue du visage qui n'avait de cesse de revenir dans ses fantasmes matinaux.

Soulagé, il remarqua aussitôt que Jillian Ashton-Bennedict était trop habillée... tant pour ses fantasmes que pour la réalité d'un chantier de construction. Elle portait une robe fluide couleur grès qui retombait juste au-dessus de ses genoux. Elle avança vers lui en enjambant les gravats du haut de ses talons, sans rien perdre de son élégance si féminine.

Cette élégance sobre et détachée qui faisait de Jillian une femme unique. Et qui avait l'art de mettre Seth dans tous ses états dès qu'il se trouvait dans la même pièce qu'elle.

Elle se passa une main dans les cheveux — elle les portait plus courts que la dernière fois où ils s'étaient vus — dont les boucles châtain foncé encadraient divinement son cou long et fin. Seth aperçut alors son anneau en or.

Bon sang, comment pouvait-elle encore porter l'alliance de son frère ?

Jillian leva les yeux et leurs regards se croisèrent par-dessus le tas de vieilles briques et de poutres qui se dressait entre eux.

Ces débris d'une ère passée rappelèrent singulièrement à Seth le passé qui le liait à Jillian, et l'accident qui avait tué leurs conjoints respectifs. Il y avait désormais entre eux une sorte de gêne empreinte de pudeur : il était un des rares à l'avoir vue au plus bas, blessée dans son amour-propre. Surtout, il éprouvait une attirance irrésistible dès que Jillian était près de lui. Une attirance interdite.

— N'avance pas plus ! s'écria-t-il d'une voix plus sèche qu'il n'en avait eu l'intention. Tony n'aurait pas dû te laisser entrer sans casque de chantier.

— C'est parce que je lui ai promis que je n'en aurais pas pour longtemps.

— Il est pourtant censé connaître les règles de sécurité.

— Ne t'en prends pas à Tony, ajouta Jillian d'une voix fébrile. Je n'ai pas été entièrement honnête avec lui.

Sans la quitter du regard, Seth enleva ses gants. Après les cinq années de mariage qu'elle avait vécues avec Jason, il savait à quel point l'honnêteté était une valeur importante aux yeux de Jillian. Il avança et se figea devant elle en attendant qu'elle s'explique.

— Je lui ai dit que tu m'attendais.

Ce qui était faux en effet, bien que cette visite le ravît. Il n'avait pas vu Jillian depuis Noël, et encore ne s'étaient-ils rencontrés que par hasard. Elle était venue chez lui apporter un cadeau pour Rachel, croyant qu'il était sorti.

— Je ne t'ai pas vue depuis plus de trois mois, dit-il en la regardant droit dans les yeux. Je commençais à me demander si tu m'évitais.

— Pas du tout, assura-t-elle en secouant la tête et en fuyant son regard.

— Je suis étonné que Tony t'ait crue. Tu ne sais pas mentir, Jillian.

Il lisait en elle comme dans un livre ouvert.

— C'est vrai, tu as raison, poursuivit-elle en soupirant. Et je crois que Tony s'en est aperçu. Il m'a dit qu'il ne me laissait entrer que parce que c'est ton anniversaire.

— Il a dû penser que tu m'apportais un cadeau.

Leurs regards se croisèrent de nouveau furtivement, mais Jillian cligna des paupières et baissa les yeux.

— Désolée, murmura-t-elle d'une voix sincère. J'aurais dû me rappeler que c'était aujourd'hui.

Seth ne put s'empêcher de demander :

— Et si tu t'en étais souvenue ?

— Je t'aurais au moins apporté une carte. Ou un gâteau.

— Avec des bougies ?

— Je n'aurais tout de même pas risqué de mettre le feu à ton chantier !

Seth eut soudain une vision de Jillian à moitié nue en Bikini et talons aiguilles, sortant d'un énorme gâteau d'anniversaire. Le genre de surprise que Lou aurait sans doute organisé pour Seth s'il n'avait pas été malade, louant les services d'une professionnelle.

Mais Seth n'avait aucune envie de mélanger ce genre de fantasmes grivois avec Jillian, sa belle-sœur, une femme qu'il lui était interdit de désirer comme il le faisait. Même s'il s'était senti attiré par elle dès le premier jour où il avait posé les yeux sur elle. Même si elle s'était toujours montrée mal à l'aise en sa compagnie et s'il s'était résigné à garder cette attirance secrète et platonique.

Une punition bien méritée pour qui ose lorgner sur la femme de son frère.

En ce moment, elle paraissait d'ailleurs gênée, sans doute parce qu'il ne la quittait pas des yeux et que le silence entre eux durait un peu trop et devenait embarrassant.

— J'ai d'abord appelé ton bureau, et Mel m'a expliqué que tu étais ici, sur le chantier de démolition de la *Villa Firenze*, reprit-elle en rompant ce silence sans vraiment dissiper la gêne entre eux.

Elle désigna le tas de gravats du bout des doigts et Seth se souvint de la première fois où il avait vu ces mains si élégantes, si fines, lorsque son frère lui avait présenté sa jeune épouse. Des mains qui revenaient désormais de façon récurrente dans ses fantasmes.

— Oui, répondit Seth, les Maldini ont décidé d'ouvrir un restaurant au rez-de-chaussée.

— Je vois, dit-elle en tournant sur ses talons et en balayant le chantier du regard. C'est un travail colossal !

— Oui. Et très gratifiant.

Et pas seulement parce que pour une fois il avait pu mouiller sa chemise sur le chantier. Seth regarda à son tour la villa de style florentin dont les murs, les caves et les jardins étaient imprégnés d'histoire.

— Je suppose qu'ils comptent servir de la gastronomie toscane ? demanda-t-elle.

— En effet.

Jillian acquiesça, toujours aussi impressionnée par l'assurance de cette voix sobre et posée, typique de Seth.

— C'est ce dont je suis venue te parler, Seth.

Il leva un sourcil interrogateur.

— Tu ouvres un restaurant ?

— Pas du tout. En revanche, je vais agrandir et rénover la salle de dégustation de Louret. J'aimerais que tu m'établisses un devis.

Elle sentit son trac disparaître. Finalement, ce n'était pas si difficile à demander. Il avait suffi qu'elle oublie que Seth, dans sa tenue de travail, et le visage ruisselant de sueur, était incroyablement, irrésistiblement sexy.

Si seulement elle s'était souvenue de son anniversaire,

regretta-t-elle, elle lui aurait au moins apporté une carte et une bouteille de vin.

De nouveau, son œil fut attiré par la peau sombre et luisante qui dépassait du T-shirt de Seth, avant de remonter sur les quelques poils sombres qui s'échappaient de l'encolure de son vêtement. Seigneur, elle devait impérativement se ressaisir.

— Peut-être n'ai-je pas choisi le meilleur moment pour parler de tout cela ? dit-elle en détournant les yeux avec l'impression soudaine que la température de la pièce avait brutalement augmenté.

— Non, tu as bien fait de venir, répondit Seth. Mais allons plutôt parler dehors.

— Oui, je suppose que j'enfreins toutes les règles de sécurité, dit-elle en désignant son casque de chantier.

— En effet, acquiesça-t-il en la regardant d'un œil pénétrant et toujours aussi déroutant.

— Alors, dis-moi quelle est l'étendue des travaux que tu as l'intention de réaliser ?

A présent que Seth était face à elle, Jillian put de nouveau respirer normalement et répondre à sa question. Sous l'œil médusé de Tony et de ses collègues, il l'avait conduite derrière la villa, dans l'oliveraie, en la prenant par l'épaule.

Appuyé contre le tronc noueux d'un olivier, les bras croisés contre sa poitrine, Seth semblait serein et attentif.

Rassurée, Jillian désigna la villa d'une main.

— Rien de comparable avec l'ampleur de ton chantier actuel. Il s'agit surtout de réaménager l'espace, mais il y a également une salle de stockage à démolir pour agrandir la salle de dégustation.

— J'en déduis que les affaires marchent à Louret ?

— Le vin se vend mieux que jamais, confirma-t-elle. Nous

avons eu beaucoup de visiteurs lors du week-end de Pâques et nous en attendons plus encore pour cet été, puisque nous lançons une campagne marketing au niveau national.

— Je croyais que les caves de dégustation comme Louret fonctionnaient surtout par le bouche à oreille.

— C'est en partie vrai. Mais vu le contexte économique, l'écart entre les vins hauts de gamme comme le nôtre et des vins plus ordinaires a tendance à se resserrer.

— Vous avez perdu des parts de marché ?

Elle réprima un sourire de fierté. Avec Cole aux rênes ? Impensable ! Son frère ne laisserait jamais une telle chose arriver.

— Non, nos ventes continuent de progresser, mais nous ne devons pas nous endormir sur nos lauriers.

— Quand comptes-tu lancer les travaux de rénovation ?

— Il faut que le chantier démarre le plus tôt possible et ne réserve aucune mauvaise surprise. Je ne peux me permettre d'interrompre les dégustations pendant la durée des travaux, j'ouvrirai donc une salle temporaire à la cave, même si cela risque de ne pas plaire à Eli. Quant à la date de début des travaux… Cela dépendra de toi, en fait, ajouta-t-elle en inspirant profondément et en le regardant droit dans les yeux.

Sous l'ombre du feuillage de l'olivier, il la dévisagea pendant une longue minute, d'un regard plus indéchiffrable encore qu'à l'accoutumée.

— Je n'ai pas dit que j'acceptais le chantier, Jillian.

— Es-tu en train de me dire que tu refuses ?

— Non. Mais si tu tiens vraiment à lancer les travaux dans le mois qui vient, cela sera impossible pour moi.

L'estomac de Jillian se noua violemment à ces paroles.

— Tu es si occupé que cela ?

— J'ai encore signé deux nouveaux contrats la semaine

dernière, qui viennent s'ajouter à un planning déjà très serré.

Sa réponse lui fit l'effet d'une gifle. Elle avait dû mobiliser une énergie considérable pour se déplacer et présenter sa requête à Seth. Tout cela pour s'entendre dire qu'il ne pouvait rien pour elle ! Pourquoi ne s'en était-elle pas doutée ? Un entrepreneur de la réputation de Seth était forcément très demandé.

Malgré sa déception, Jillian sentit ses épaules et ses membres se décrisper sensiblement. D'une certaine façon, elle était tout de même soulagée. Seth était en tête de liste des entrepreneurs à consulter, elle avait donc fait son travail, mais il avait refusé son offre. A présent, elle pouvait reprendre une vie normale, sans donner l'impression de l'éviter, ni de dépendre de lui pour quoi que ce soit. Car à vrai dire, cet homme lui faisait peur. Il la déroutait et avait l'art de la faire se sentir mal à l'aise. Sans compter qu'elle n'appréciait guère le genre de réactions incontrôlables qu'il provoquait chez elle.

Elle effleura avec son pouce l'alliance qu'elle portait toujours, et qu'elle avait gardée non pas pour se souvenir, mais pour éviter de commettre de nouveau les mêmes erreurs que par le passé. Surtout lorsqu'il était question de ses relations avec des hommes.

— Si tu n'étais pas intéressé par mon projet, demanda-t-elle en fronçant les sourcils, pourquoi ne me l'as-tu pas dit lorsque nous étions à l'intérieur ?

— Je n'ai pas dit que je n'étais pas intéressé, répondit-il avec un regard qui coupa de nouveau le souffle à Jillian. Mais mon planning ne pourra s'accorder avec le tien.

Jillian haussa les épaules, peu encline à jouer sur les mots. Elle n'avait pas le temps pour cela, ni pour la façon dont son corps tout entier réagissait à la présence de Seth.

Quelles que soient ses raisons, Seth ne souhaitait pas établir de devis pour la rénovation de sa salle de dégustation. Elle n'allait pas se mettre à genoux devant lui pour le faire changer d'avis. Pour elle, la discussion était close.

Seth regarda Jillian se pincer les lèvres et se redresser, comme si elle cherchait à se donner une contenance après sa déception. Il l'avait déjà vue à de nombreuses reprises adopter cette pause, et savait qu'à présent elle ne changerait plus d'avis.

Dommage, car il rêvait qu'elle lui demande un service. Or, la sachant trop fière pour cela, Seth s'éloigna du tronc de l'olivier et se frotta la nuque. Il ne pouvait revenir sur son refus, mais cela ne l'empêchait pas d'aider Jillian.

— Attends une minute, dit-il. J'ai entendu dire que Terry Mancini s'ennuie depuis qu'il est à la retraite. Peut-être ton projet peut l'intéresser. Je peux aussi passer quelques coups de fil autour de moi et te trouver quelqu'un qui…

— Ne te tracasse pas, l'interrompit-elle, je peux très bien trouver quelqu'un par mes propres moyens.

Se tenant toujours très droite, les épaules raides de fierté, Jillian tourna les talons. Seth la suivit du regard. C'était tout Jillian, ça : se vexer et tourner le dos dès qu'on lui proposait de l'aide. Certes, par le passé, elle avait accepté son aide. Mais c'était seulement parce qu'elle n'avait pas eu d'autre choix. Lorsque la vérité sur les liaisons extra-conjugales de Jason avait éclaté après sa mort.

Seth sentit les muscles de ses propres épaules se raidir.

— Oh, je ne doute pas que tu trouves des tas d'entrepreneurs prêts à faire tes travaux, Jillian. La question est de savoir s'ils sont capables de faire du bon travail !

Prête à partir, elle le regarda par-dessus son épaule.

— Tu as raison, Seth. C'est pourquoi j'étais venue te voir en premier.

— Je suis désolé de ne pouvoir t'aider.

— Moi aussi, dit-elle en le regardant droit dans les yeux. Je voulais travailler avec le meilleur.

2.

Le soleil n'était pas encore levé lorsque Jillian se réveilla. Elle sortit sur la pointe des pieds de sa chambre, et descendit l'escalier dans la semi-pénombre. Elle connaissait le moindre recoin de la maison de famille où elle avait grandi et où elle avait ré-emménagé après la mort de Jason.

Cela lui était égal de vivre de nouveau sous le toit de ses parents. Ce n'était pas comme si elle avait une vie sociale en dehors du travail. Et encore moins une vie sexuelle, songeat-elle avec une pointe d'amertume. Son quotidien aux *Vignes* se résumait en trois mots : calme, sécurité et confort. Tout ce à quoi elle avait cherché à échapper en épousant Jason. Tout ce à quoi elle aspirait à présent.

Au pied de l'escalier, elle se rua dans la cuisine et tomba nez à nez avec sa mère. Caroline Sheppard poussa un petit cri de surprise à l'unisson avec sa fille. La main sur la poitrine, Jillian dévisagea sa mère dans la lumière de l'aube.

— Ma parole, maman, tu m'as fait une de ces peurs ! Mais que fais-tu à rôder dans la cuisine à une heure pareille ?

— Je pourrais te poser la même question.

— En ce qui me concerne, j'ai une bonne raison, expliqua Jillian en montrant à sa mère ses bottes de cavalier. Je suis de corvée de nettoyage d'écurie ce matin, et je dois avoir fini à 8 heures au plus tard.

— Tu as encore rendez-vous avec un entrepreneur ?

— Encore un, oui.

Un de plus, malheureusement.

Jillian poussa un long soupir et sentit les mains de sa mère lui masser tendrement les épaules.

— Ne t'inflige pas trop de stress inutile, ma chérie. Ces travaux n'ont rien d'urgent.

— Après la hausse de fréquentation que nous avons eue ces derniers mois ? s'exclama-t-elle en hochant la tête d'un air las. Ces rénovations doivent être effectuées avant l'été, maman. Et le plus tôt sera le mieux !

Après une semaine de prospection intense, Jillian avait déjà épuisé toute sa liste d'entrepreneurs. Hormis les « je fais un devis et vous tiens au courant », elle n'avait rien de concret. Et aujourd'hui, lors de la réunion hebdomadaire des cadres du Domaine de Louret, elle n'avait pas un seul devis à présenter, et un seul entrepreneur de réputation douteuse était disponible pour le projet. Si cela continuait, Cole allait lui-même décider de se charger du projet.

— Ne t'inquiète pas, maman, j'y arriverai ! reprit Jillian en redressant les épaules.

Il suffisait pour cela qu'elle déniche par miracle un entrepreneur dont le planning ne serait pas complet jusqu'à l'automne. Et qui ne croie pas savoir mieux qu'elle comment la salle de dégustation devrait fonctionner et être aménagée.

— Je n'en doute pas une seconde, Jillie, répondit sa mère en lui donnant une nouvelle accolade affectueuse. Alors, qui rencontres-tu ce matin ?

— Travis Carmody.

— Ce nom m'est inconnu, dit Caroline en plissant le front.

— Il est arrivé en Californie depuis peu.

— Est-ce un bon entrepreneur, au moins ?

— En tout cas, il est disponible, dit-elle avant de se mordre la lèvre. Ou du moins, c'est ce qu'il dit.

— Tu veux dire que tu ne lui fais pas entièrement confiance ? Cela ne devrait-il pas te mettre la puce à l'oreille ?

— Tu veux parler de mon problème maladif à accorder ma confiance aux gens, n'est-ce pas ?

Caroline sourit devant la tentative de dérision de sa fille, mais son sourire était empreint d'anxiété maternelle.

— Peut-être vaut-il mieux travailler avec quelqu'un digne de confiance. As-tu contacté Seth Bennedict ?

— Oui, et il a été très clair : son emploi du temps ne lui permet pas de s'intéresser à mon projet.

Sa mère plissa le front d'un air sceptique.

— Eh bien, je suis surprise que Seth n'ait rien proposé pour t'aider à trouver quelqu'un d'autre.

— Ce n'est pas ce que je lui demandais, maman. Je me suis adressée à lui en tant que professionnel. Je n'attendais pas qu'il me rende un service.

Elle croisa le regard de sa mère qui brillait de curiosité. Caroline n'avait jamais demandé à sa fille les détails sordides de son mariage avec Jason, ni la nature de sa relation avec son beau-frère qui avait été très présent lors du décès de leurs conjoints respectifs. Caroline s'était contentée d'offrir à sa fille son amour, une épaule sur laquelle pleurer et la sécurité et le confort de sa maison d'enfance.

Caroline avait déjà connu les turpitudes d'un mariage raté, lorsqu'elle s'était séparée de Spencer Ashton. Jillian se sentit tout à coup encore plus proche de sa mère qu'à l'accoutumée, et sa gorge se noua.

Elle prit Caroline dans ses bras et la serra très fort.

— Que me vaut une telle étreinte ? bafouilla cette dernière.

— Rien de spécial ! sourit Jillian en sentant ses yeux s'humidifier dangereusement.

— Oh, ma chérie, tu sais ce dont tu as besoin ? poursuivit Caroline en la serrant plus fort encore dans ses bras.

Jillian hocha la tête, incapable d'articuler la moindre parole, en proie à une émotion très vive.

— Une bonne balade au galop pour t'éclaircir les idées.

Excellente idée ! Marsanne, sa versatile jument pur-sang, ne demandait qu'à se dégourdir les jambes ces temps-ci.

Séduite par la suggestion de Caroline, Jillian chaussa ses bottes sur-le-champ. Puis une meilleure idée lui vint à l'esprit.

— Pourquoi ne m'accompagnerais-tu pas, maman ? Voilà des années que nous n'avons pas fait de cheval ensemble !

Même si Jillian avait dû brider les ardeurs de Marsanne afin de rester à hauteur de la monture de sa mère, elles avaient fait une bonne partie de la promenade au galop. A présent, les deux chevaux avançaient au pas en reprenant leur souffle, mêlant la buée qui s'échappait de leurs naseaux avec la légère brume qui entourait le lac.

Inspirant à pleins poumons les odeurs mélangées des chevaux, des bourgeons et de la rosée, Jillian se délecta de cette matinée de printemps. Elle contempla le vignoble de Louret qui s'étendait à perte de vue, et se sentit envahie par un sentiment d'immense bien-être.

— Merci d'avoir eu l'idée de cette promenade, maman. Tu es la reine des idées formidables !

Quelque chose changea soudain dans l'expression de Caroline, et Jillian comprit que, prise par ses propres soucis, elle en avait oublié ceux que sa mère traversait depuis plusieurs mois — et notamment durant la semaine qui venait de s'écouler.

— Tu ne m'as toujours pas dit ce que tu faisais à errer dans la maison de si bonne heure, reprit Jillian d'un ton le plus neutre possible alors qu'elles continuaient à avancer à travers le vignoble.

— Je me suis réveillée tôt, répondit Caroline en esquissant un faible sourire. Dieu sait si j'aime Lucas, mais mon cher époux ronfle à en faire trembler les bouteilles de la cave !

— Tu n'as toujours pas digéré la dernière révélation au sujet de ce vieux Spencer, n'est-ce pas, maman ?

La nouvelle avait éclaté en janvier. Caroline et ses enfants avaient alors découvert un chapitre jusque-là inconnu du passé de Spencer Ashton. Avant d'épouser Caroline Lattimer, le salaud avait fondé une autre famille dans le Nebraska, négligeant de divorcer de sa précédente femme. Ce qui rendait son mariage avec Caroline juridiquement nul.

Bien entendu, cette information explosive ne s'était pas circonscrite au seul cercle familial : les médias du pays tout entier s'étaient gargarisés de tous les détails les plus sordides de l'affaire. Le cours des actions Ashton-Lattimer avait alors subi une baisse historique, avant de s'effondrer quelques semaines plus tard lorsqu'un ultime secret fut rendu public : Spencer était le père d'un enfant illégitime âgé de dix-huit mois, né de sa relation avec son ex-secrétaire.

Pas étonnant que Caroline ait du mal à dormir, songea Jillian.

— J'espère que tu n'es pas en train de t'inquiéter pour nous, maman. Peu importe le fait que nous soyons aussi d'une certaine façon les enfants illégitimes de Spencer, murmura-t-elle en se penchant sur sa selle pour prendre la main de sa mère. De toute façon, à nos yeux nous n'avons qu'un père, et c'est Lucas.

— Je sais bien, ma chérie. Mais je ne peux m'empêcher de regretter qu'il n'ait pu vous adopter. Ainsi vous auriez eu un père légitime aux yeux de la loi, dit Caroline d'une voix amère avant de se ressaisir. Ecoute-moi donc me plaindre, comme si je n'avais rien d'autre à faire !

— Avec des si, on mettrait Paris en bouteille !

Leurs regards se croisèrent, et une complicité unique entre mère fille, de celles qui se forgent au rythme des épreuves et des joies de la vie, passa entre elles.

Soudain, Marsanne s'impatienta et se mit à secouer la tête, rompant ainsi cet instant chargé d'émotion. Jillian laissa échapper un rire nerveux.

— Serais-tu en train de nous suggérer qu'il est l'heure de prendre ton petit déjeuner ? demanda-t-elle à sa jument en caressant la crinière grise.

Marsanne secoua les oreilles et allongea le pas alors qu'elles contournaient le lac pour retourner aux écuries. Un canard sauvage s'envola au ras de l'eau, sans doute dérangé par ces promeneuses matinales.

— J'y pense beaucoup, dit Caroline après plusieurs minutes de silence. Et, je le reconnais, cela a tendance à empiéter sur mes heures de sommeil.

Jillian sourit en entendant l'aveu de sa mère.

— Mais je ne me soucie guère de la légalité ou non de mon mariage avec Spencer. J'ai prononcé mes vœux devant Dieu et je les ai respectés. Dans mon esprit et dans mon cœur, ce mariage est bel et bien réel, puisqu'il m'a donné quatre des plus beaux cadeaux que la vie m'a offerts.

Eli, Cole, Mercedes et elle-même, songea aussitôt Jillian.

— Je suis surtout contente que tout soit fini à présent, reprit Caroline d'une voix aussi douce que la lumière du matin sur le vignoble. Sans cela, je n'aurais jamais rencontré Lucas, je ne vivrais pas ici.

Bien que Caroline fît un geste désignant le vignoble vallonné,

Jillian savait qu'elle ne faisait pas simplement allusion au paysage ou à la cave de dégustation devenue au fil des ans une des plus raffinées de Napa. Sa mère voulait surtout parler de l'amour indéfectible que Lucas lui portait et qui l'avait aidée à consolider son bonheur et celui de ses enfants.

C'est surtout cela qui devait l'empêcher de dormir : la crainte de voir l'harmonie familiale de nouveau brisée par Spencer Ashton. Le divorce avait été prononcé largement en la défaveur de Caroline, mais la situation juridique était très floue : puisqu'il n'y avait pas eu de mariage au regard de la loi, il ne pouvait logiquement pas y avoir de divorce...

— Tu ne songes tout de même pas à entreprendre une action en justice, maman ? demanda Jillian.

— Cela ne ferait que rouvrir d'anciennes blessures, pour un résultat bien incertain. J'ai déjà tout ce dont je rêve ici, ajouta-t-elle en désignant une nouvelle fois les vignes de la main. Et puis toutes ces histoires ont déjà contraint Cole et Dixie à fuir pour se marier en toute discrétion.

En raison du tumulte causé par les révélations sur la vie de Spencer, le frère de Jillian et sa fiancée avaient renoncé à organiser un mariage en grande pompe, au grand dam de Caroline. Qui savait bien, pour l'avoir vécu, ce que pouvait signifier un mariage à Las Vegas.

— Je sais que c'est égoïste de ma part, poursuivit-elle, mais j'aurais tellement aimé assister à leur mariage.

Jillian se pencha et prit la main de sa mère.

— Cela n'a rien d'égoïste, c'est le droit de toute mère.

Mais peut-être n'était-il pas trop tard.

— Sais-tu à quoi je pense ? reprit Jillian en souriant d'un air satisfait tout en inclinant légèrement la tête pour finir de réfléchir à son idée. Nous pourrions leur organiser une surprise-partie maintenant qu'ils sont rentrés ! Ils nous ont pris au dépourvu en nous annonçant qu'ils s'envolaient pour

Las Vegas afin de se dire oui, eh bien à nous de les surprendre à présent !

Un large sourire vint éclairer le visage de Caroline, qui serra plus fort la main de sa fille.

— C'est une excellente idée, ma chérie ! s'exclama-t-elle.

— Et si Travis Carmody accepte de rénover la salle de dégustation, déclara Jillian en priant pour que cela soit effectivement le cas, nous pourrions même l'y organiser une fois que les travaux seront finis ! Que dirais-tu de début mai ?

— Le printemps, la saison du renouveau… N'est-ce pas la période idéale pour oublier le passé et se concentrer sur l'avenir ? demanda Caroline en desserrant son étreinte de la main de Jillian et en effleurant volontairement l'alliance que Jillian portait toujours à son doigt.

Jillian comprit que ces dernières paroles avaient un double sens. Elle se raidit involontairement à cette idée et hocha la tête sans même s'en rendre compte.

Mais Caroline se contenta d'un clin d'œil, puis détourna le regard, apparemment distraite par quelque chose hors du champ de vision de Jillian.

— Ne serait-ce pas ton entrepreneur que je vois se garer devant les écuries ?

Pourquoi Carmody se serait-il rendu là-bas alors qu'elle lui avait donné rendez-vous dans la salle de dégustation ?

Jillian fronça les sourcils. Elle avait donné rendez-vous à Carmody dans la salle de dégustation, pas dans les écuries. Elle saisit de nouveau les rênes et ordonna à Marsanne de faire demi-tour.

— Il est en avance. C'est bien la première fois qu'un…

Le reste de sa phrase s'évanouit entre ses lèvres lorsqu'elle aperçut le 4x4. Aussitôt, son cœur se mit à battre la chamade.

— Quelque chose ne va pas ? demanda Caroline.

— Non, tout va bien, assura Jillian en s'efforçant d'articuler normalement.

Sauf que Travis Carmody possédait un 4x4 rouge et que celui qui venait de se garer était bleu. Un bleu que Jillian ne connaissait que trop bien.

Seth était en train d'admirer l'un des poneys lorsqu'il entendit un claquement de sabots qui approchaient d'un pas rythmé. Il se redressa vivement, et réprima un mouvement de surprise. Il savait qu'avant d'épouser Jason, Jillian concourait lors de compétitions d'équitation, mais il n'avait jamais eu l'occasion de la voir monter à cheval. Il ne s'était pas préparé à une telle vision.

Il s'était attendu à la voir monter en amazone, en femme élégante et raffinée qu'elle était, mais au lieu de cela, Jillian était quasiment couchée à plat ventre sur sa monture, ses jambes interminables plaquées de chaque côté de l'animal, et fonçait vers lui à toute allure. Il crut d'abord qu'elle avait perdu le contrôle, et fut saisi d'une montée d'adrénaline. Mais très vite, il vit que Jillian maîtrisait parfaitement sa jument et qu'elle ralentissait enfin, au dernier moment avant d'entrer dans l'écurie. Seth poussa un soupir de soulagement, autant que de surprise, découvrant une Jillian jusqu'alors inconnue : le visage écarlate, encore essoufflée, les yeux brillant d'excitation alors qu'ils croisaient les siens.

Qui aurait cru qu'une femme aussi douce et réservée que Jillian puisse être ainsi amatrice de sensations fortes ?

— Jolie matinée pour une balade à cheval, lança-t-il cordialement.

— Jolie ? répéta-t-elle en esquissant un demi-sourire. Je dirais plutôt quelle *magnifique* matinée !

— Tu as raison, acquiesça-t-il alors que Jillian tirait sur la bride de sa jument pour la mettre à l'arrêt.

Elle enjamba sa monture pour descendre au sol et Seth se précipita pour lui offrir son bras. Jillian lui tournait le dos et son regard fut alors inéluctablement attiré par la courbe délicate de ses reins et de ses hanches, parfaitement moulées dans son fuseau de cavalier. La seconde suivante, il l'attrapait par la taille et frissonna lorsque ses hanches effleurèrent les siennes.

D'autant qu'il entendit la respiration soudain accélérée de Jillian et remarqua une légère crispation de ses membres. Etait-il possible qu'elle éprouvât le même trouble que lui ?

Il dut cependant la lâcher et reculer d'un pas pour la laisser défaire la selle de la jument.

— Tu as besoin d'un coup de main ? demanda-t-il après l'avoir observée quelques secondes se démener avec les sangles.

— Non, merci. De plus, sache que je sais tout à fait descendre de cheval sans aide.

Il encaissa la pique sans broncher. Seth dut se convaincre à contrecœur que les pommettes de Jillian étaient roses du fait de sa promenade au galop, et non du trouble de leur contact furtif lors de cette descente.

— Que fais-tu ici, Seth ? demanda-t-elle par-dessus son épaule, le visage encore rouge. J'attends quelqu'un.

— C'est ce que l'on m'a dit, en effet.

— Comment ? Qui t'a informé ? demanda-t-elle en levant un sourcil dubitatif.

— Eli.

— Mon frère t'a téléphoné ? poursuivit-elle d'un ton de plus en plus perplexe.

— Non, j'ai appelé chez toi tout à l'heure pour te demander si tu avais trouvé un architecte. C'est Eli qui a décroché.

Il m'a dit que tu faisais une promenade à cheval avant de recevoir Carmody pour un devis, expliqua Seth en s'efforçant de conserver un ton neutre et détaché.

Cette fois, Jillian se mit face à lui et le dévisagea.

— Cela te pose un problème ?

— Tu m'as dit que tu voulais engager le meilleur pour mener à bien ton projet. Carmody n'est pas assez compétent.

— Peut-être, mais le meilleur n'est pas disponible. Travis Carmody, lui, l'est, affirma-t-elle alors que ses grands yeux s'assombrissaient. A moins que ton planning n'ait été modifié depuis que nous nous sommes vus, Seth ?

— Je suis venu pour t'éviter d'engager un incompétent sur ton chantier. Bon sang, Jillian, je t'ai pourtant proposé de t'aider à trouver un professionnel de confiance !

— Personne n'est disponible ! Ni Terry Mancini, ni les frères Maine, ni O'Hara. Je les ai tous contactés, Travis est ma dernière chance, affirma-t-elle en croisant les bras et en poussant un soupir. Est-il vraiment si mauvais que ça ?

— Suffisamment pour que je saute dans mon 4x4 dès que j'ai raccroché d'avec Eli. Avant même de prendre mon café.

— A ce point ! marmonna Jillian en souriant, mais Seth voyait qu'au fond d'elle-même, elle commençait à paniquer.

Il avait envie de lui venir en aide, et était prêt à lui proposer n'importe quoi pour arranger sa situation, mais elle croisa les bras, détourna le regard et se mit à tripoter distraitement son alliance.

Seth sentit son cœur se nouer au point qu'il eut du mal à respirer. Comment Jillian pouvait-elle encore aimer son frère, un mari infidèle et menteur, décédé depuis deux ans ?

Jillian se redressa et le regarda dans le blanc des yeux.

— C'est un petit chantier, Seth, mais il signifie beaucoup pour moi. Accepterais-tu de jeter un œil à mes plans ?

— Au moins, je ne me serais pas déplacé pour rien.

Elle ne le quittait pas de son regard vert et assuré. Cette fois, elle lui demandait clairement de l'aide et Seth ne se sentait pas le cœur à dire non.

— Je ne peux rien te promettre, dit-il, mais je vais voir ce que je peux faire.

— Tu veux bien regarder mes plans ? Maintenant ?

— Je ne suis pas en train d'accepter le chantier, ni même de te proposer un devis. Simplement, je veux bien y jeter un œil et te donner mon avis.

— Je comprends, dit-elle en poussant un léger soupir.

Seth était comme hypnotisé par le sourire qui venait de se dessiner autour des lèvres sensuelles et pleines de Jillian. Même si cela était hors de question, il brûlait d'envie de goûter à la tiédeur de ces lèvres dans l'air frais du matin…

— Seth Bennedict ?

Jillian sursauta. Seth se retourna et s'aperçut qu'ils étaient tellement absorbés par leur conversation qu'ils n'avaient pas entendu Caroline Sheppard s'approcher d'eux. Elle pénétra dans l'écurie sur un cheval bien moins haut et à une vitesse bien plus raisonnable que celle de sa fille. Et elle offrit à Seth un sourire aussi avenant que surpris.

— C'est bien vous !

— Comment allez-vous, madame Sheppard ?

— J'irai beaucoup mieux dès que vous m'appellerez Caroline, rétorqua-t-elle.

— Figure-toi, annonça Jillian, que Seth me propose finalement de jeter un coup d'œil à mes plans de rénovation.

— Je suis ravie de l'apprendre. Seth, pourquoi ne pas vous joindre à nous pour le petit déjeuner une fois que vous en aurez terminé ?

— Merci pour l'invitation, répondit Seth, mais j'ai promis à Rachel de rentrer à la maison pour l'emmener au jardin d'enfants. Je n'ai pas beaucoup de temps devant moi.

— Dans, ce cas, vous viendrez un autre jour.

— Ce sera avec plaisir, dit-il avant de se tourner vers Jillian. Es-tu prête ?

— Dès que j'en ai fini avec cette selle !

Jillian disparut au fond de l'écurie et Seth fut privé du spectacle ô combien inspirant — pour ne pas dire excitant — de l'ondulation de ses reins alors qu'elle enlevait la selle de sa jument…

Il essaya de chasser cette image de son esprit. Déjà qu'il n'avait pas su dire non à la jeune femme. Il allait devoir garder son sang-froid auprès d'elle. La partie était loin d'être gagnée. Il risquait de regretter son impulsion de s'être rué aux *Vignes* pour dissuader Jillian d'engager Carmody, et surtout d'avoir accepté de donner son avis sur ses plans.

Pourtant, il suffisait qu'il repense au regard franc et déterminé que lui avait adressé Jillian pour que toute pointe de regret s'évapore de son esprit.

3.

Deux jours plus tard, Seth gara son 4x4 sur le parking du chai du Domaine de Louret. Il compta un minibus, deux voitures de location et plusieurs véhicules immatriculés hors Californie. Avec autant de visiteurs, Jillian devait être débordée. Tant mieux, il venait justement pour l'observer sur son lieu de travail.

Lundi, il n'avait eu le temps que de survoler le projet de Jillian et avait dû se dépêcher de rentrer pour s'occuper de Rachel. A présent, il avait besoin de voir Jillian évoluer dans son environnement de travail, afin d'émettre un avis de professionnel sur ses plans de rénovation. Car il avait compris qu'il s'agissait là de bien plus que de simplement faire tomber quelques cloisons.

Il entra dans la salle de dégustation. Il lui fallut quelques secondes pour accommoder ses yeux à l'intérieur après la lumière vive du soleil de l'après-midi. Il en conclut que cette pièce était trop sombre, malgré les nombreux luminaires et la baie vitrée. Il balaya la salle du regard et aperçut Jillian derrière un des deux comptoirs, servant des verres à un groupe de femmes qui portaient toutes de drôles de chapeaux rouges. Manifestement, elle n'avait pas remarqué son arrivée.

Ce qui signifiait, entre autres, songea-t-il aussitôt, que cet espace était mal conçu pour accueillir les clients. Le plan de

Jillian prévoyant un seul bar au centre de la pièce était en ce sens plus avisé. Seth fit le tour de la salle, attendant que Jillian l'aperçoive.

Dès qu'elle le vit, elle s'excusa auprès de ses clientes et vint le saluer.

— Bonjour, Seth, je ne m'attendais pas à te voir, dit-elle avec un sourire chaleureux. Je suis en pleine séance de dégustation.

Seth ne put s'empêcher de se sentir surpris. Si sa présence la troublait, Jillian n'en laissait rien paraître.

— Pour un milieu de semaine, il y a affluence ! commenta-t-il en désignant du menton le groupe de touristes.

— En effet. Et Shannon est en train de faire visiter le domaine à une demi-douzaine de clients. Nous avons eu peu de répit depuis l'ouverture ce matin, ajouta-t-elle.

Elle lui décocha un petit sourire qui semblait se féliciter d'une telle réussite commerciale. Seigneur, comme il aimait la voir sourire ainsi ! Il avait peu l'habitude de voir Jillian aussi enjouée et sûre d'elle. Il connaissait surtout son côté réservé et ignorait jusqu'alors que Jillian vivait son travail comme ses balades à cheval : à cent à l'heure.

— Je suis simplement passé m'imprégner de l'ambiance des lieux et observer ta façon de travailler, expliqua-t-il. Surtout ne change rien à tes habitudes et oublie ma présence. A moins que je ne te dérange, bien sûr. J'aimerais aussi en profiter pour prendre quelques mesures.

Seth eut l'impression que le regard de Jillian s'assombrissait.

— Tu n'as pas besoin de vérifier les mesures que j'ai reportées sur mes plans : elles sont tout à fait fiables ! s'indigna-t-elle avec une étincelle de fierté dans les yeux.

— Cela fait partie de mon travail, avança-t-il en espérant la convaincre qu'il ne s'était déplacé que pour des raisons professionnelles. D'ailleurs, tu devrais sans doute t'y remettre, tes clientes semblent t'attendre.

Jillian acquiesça et retourna auprès des touristes.

Seth commença alors à mesurer la porte qui séparait la salle de dégustation de la cave. Puis il inspecta la salle de stockage que Jillian souhaitait supprimer, avant de retourner à la salle de dégustation. Il fit quelques annotations sur les plans très rigoureux et détaillés de Jillian, tout en réfléchissant à un planning de chantier raisonnable.

Tout cela au son léger de la musique d'ambiance qui résonnait dans la salle, et surtout du timbre gracile et suave de la voix de Jillian expliquant à ses clientes les subtilités de chaque vin produit à Louret. Seth en tira trois conclusions : la jeune femme connaissait son produit sur le bout des doigts ; elle savait se mettre au niveau de son public ; et enfin, elle avait su tirer profit de ces deux qualités pour réussir ses dégustations.

Pour finir, il se demanda s'il n'était pas un brin masochiste d'avoir accepté ce chantier.

Il secoua la tête. Masochiste ou pas, il décida d'observer Jillian quelques minutes encore, sans qu'elle s'en aperçoive, et d'écouter son exposé sur le vin que ses clientes finissaient de déguster. Il la vit ouvrir une nouvelle bouteille, et verser quelques gouttes du précieux liquide dans de nouveaux verres, alors qu'une des clientes aux chapeaux rouges faisait profiter les autres de sa supposée connaissance des grands vins rouges californiens.

— Je pense que vous saurez apprécier ce cabernet sauvignon de notre réserve 1998, interrompit Jillian d'une voix patiente et flatteuse.

— Mon mari dit toujours que le cabernet est un vin d'homme, commenta une femme, et que nous autres n'avons pas un palais qui sache l'apprécier.

— Votre prénom est bien Carol ? demanda Jillian.

La femme d'une cinquantaine d'années acquiesça.

— Eh bien, Carol, votre mari a dû déjà entendre parler du décodage du génome humain qui a démontré que les femmes ont un palais plus sensible que les hommes, expliqua Jillian en adressant un petit sourire complice à ses clientes. En tant que femmes, nous avons une plus haute réceptivité sensorielle.

— Vous êtes sérieuse ? demanda Carol en souriant à son tour. Je savais bien que Jim me racontait des fadaises !

Seth regarda Jillian recouvrer son sourire professionnel.

— Il est intéressant de réfléchir à cette expression de « vin pour hommes », reprit Jillian. Le cabernet sauvignon est considéré comme le roi des raisins rouges, il donne des vins corsés, opulents et forts. Certains peuvent penser que ce sont là des attributs masculins, d'autres considérer cela comme un point de vue sexiste. Voire une théorie fumeuse.

Tout le monde éclata de rire, Carol en tête.

— Mais le fait est qu'il existe aussi des femmes qui apprécient ce genre de vin, poursuivit Jillian. Quel est votre point de vue, mesdames ?

— Personnellement, tout ce que je peux dire c'est que je n'ai rien contre les hommes corsés, opulents et forts ! déclara une dame d'environ quatre-vingts ans.

De nouveau il y eut de grands éclats de rire, et Seth ne put s'empêcher de sourire également. Amusé par l'ambiance bon enfant, intrigué par l'aisance que montrait Jillian devant son public — encore une facette d'elle qu'il découvrait —, il s'adossa contre un large pilier de bois, croisa les bras et attendit la suite du spectacle.

— Et vous, Jillian, aimez-vous les vins corsés ? demanda une autre femme.

— Cela dépend de mon humeur, répondit-elle. Parfois

oui, mais j'aime aussi les vins aux notes plus subtiles, un peu moins… audacieuses, ou viriles, si l'on peut dire.

— Vous devez bien avoir vos préférences, insista une autre cliente. Quel est votre vin de Louret favori ?

Jillian leva un verre et l'inclina en faisant scintiller le liquide de couleur rubis qu'il contenait.

— Vous êtes sur le point de le goûter, mesdames !

— J'en conclus que vous êtes d'humeur audacieuse, chère Jillian ? demanda Carol avec un sourire complice.

Une nouvelle salve de rires parvint jusqu'à Seth. Lundi, Jillian était effectivement d'humeur audacieuse lorsqu'elle avait monté cette immense jument farouche. Mais aujourd'hui, Seth la trouvait plutôt détendue et confiante.

— Pinot noir, suggéra-t-il timidement.

Du coin de l'œil, il vit aussitôt une douzaine de chapeaux rouges se tourner simultanément vers lui, mais son regard ne quittait pas Jillian qui replaçait délicatement le verre sur le bar. Avant de se tourner lentement vers lui.

— Pourquoi pinot noir ? demanda-t-elle en le regardant droit dans les yeux d'une voix intriguée mais sereine.

— C'est ainsi que je définirais ton humeur du moment.

Jillian se trouva incapable de répondre, aussi déroutée par ce regard couleur chocolat noir que par la réponse aussi assurée qu'énigmatique de Seth.

Essayait-il de lui dire quelque chose ? Elle aurait le temps d'y réfléchir plus tard mais, pour l'heure, elle ne devait pas perdre la face devant ses clientes, qui commençaient déjà à assaillir Seth de questions.

— Pensez-vous également que le cabernet soit un vin d'homme ? interrogea Carol.

— Et que pensez-vous de cette théorie sur la différence entre le palais des hommes et celui des femmes ?

— Etes-vous aussi un amateur de vin ?

— Avez-vous déjà effectué une dégustation avec Jillian ?

Jillian avait à présent le plus grand mal à se concentrer, imaginant Seth en train de la déguster, *elle*, et sentant presque la caresse de ses lèvres sur sa peau…

Oh, seigneur… Elle fut immédiatement saisie d'un bref vertige et sentit sa gorge s'assécher. Ses mains tremblaient alors qu'elle se servait un verre d'eau qu'elle avala d'un trait en espérant chasser ses pensées inappropriées.

Elle commençait à reprendre ses esprits quand l'une des femmes de l'assistance se dirigea vers Seth et l'entraîna au milieu du petit groupe.

— Mesdames, je crois que nous devrions laisser Seth à son travail, déclara Jillian en haussant un peu le ton pour se faire entendre parmi le brouhaha.

Elle constata avec surprise et soulagement que ses clientes à présent surexcitées l'écoutèrent et obtempérèrent. C'est alors qu'une jeune femme demanda d'un ton innocent :

— Jillian, Seth est-il votre homme ?

Seigneur, laissez-moi m'enfoncer à travers ce parquet et disparaître à tout jamais !

Comme Jillian ne pouvait poser son regard en direction de Seth sans sentir ses joues s'embraser, elle se focalisa sur les visages de ses clientes, à présent en pleine spéculation.

Mon Dieu, faites que je reste pertinente et digne…

— Seth est artisan. C'est un architecte.

Elle se risqua à regarder enfin dans sa direction. Il ne paraissait nullement embarrassé. En fait, appuyé contre un pilier avec ses manches retroussées qui laissaient apparaître des avant-bras hâlés, Seth correspondait parfaitement à la description du cabernet de 1998 de la réserve d'Eli.

Charpenté, robuste et prometteur.

Jilian ne put réprimer un frisson. Mais que lui arrivait-il ? Elle ne se sentait soudain plus maîtresse d'elle-même. En fait, Seth semblait moins sérieux que d'habitude. Il souriait presque, et une lueur d'amusement brillait dans son regard.

— Il est ici pour m'aider à finaliser mes plans de rénovation pour la salle de dégustation, continua Jillian en s'efforçant de détourner l'attention de ses clientes.

— Vous avez l'intention de refaire cette salle ? Mais pour quelle raison ? s'étonna une cliente.

— Je trouve que vous devriez éclairer la salle avec des peintures couleur pastel, commenta une autre.

— Tu plaisantes, Linda ! Il faut absolument garder ces boiseries couleur brut, ajouta une autre encore.

Diversion réussie. Les suggestions et contre-suggestions au sujet de la décoration de la salle de dégustation fusaient à présent de part et d'autre du petit groupe. Au bout de quelques minutes, Jillian tenta de revenir au sujet principal — la dégustation — mais sans succès. Elle haussa les épaules d'un air dépité en regardant Seth qui lui sourit d'un air amusé. L'espace d'un bref instant, Jillian se perdit dans l'immensité de son regard sombre et profond.

C'est alors qu'elle se rendit compte qu'elle n'avait encore jamais vu Seth Bennedict sourire. Ou du moins lui sourire, à elle. Son cœur fit un bond dans sa poitrine et un frisson tiède lui parcourut l'échine. Son instinct l'alertait de l'imminence du danger auquel elle était en train de s'exposer, mais elle ne put détourner le regard que lorsque la benjamine du groupe, une certaine Helen, posa une main sur son bras.

— Si vous avez besoin de parler avec votre homme, Jillian, ne vous gênez pas pour nous.

Cette fois, Jillian ne prit même pas la peine de corriger l'expression « votre homme ».

— En effet, nous devons faire un petit point rapide sur le déroulement du chantier de rénovation, acquiesça-t-elle.

— Dans ce cas, allez-y, nous n'allons pas nous enfuir avant de vous avoir acheté quelques caisses de votre excellent vin !

Jillian s'excusa et s'éloigna du petit groupe, mais ne manqua pas de relever le chuchotement d'une des clientes qui ironisait sur les adjectifs corsé, opulent et fort. Elle s'efforça de se convaincre que la jeune femme voulait certainement parler du vin. D'ailleurs n'étaient-elles pas en train de lever leurs verres en vue de la dégustation du 1998 qu'elle venait de leur servir ?

Les pommettes enflammées, Jillian sortit de derrière le bar en priant pour que Seth n'ait rien entendu. Son sourire s'était effacé, et il la regardait approcher de lui avec un regard appuyé qui avait le don de mettre Jillian dans tous ses états.

Elle s'efforça d'avoir l'air détaché, redressa ses épaules et lui adressa un sourire poli et affairé.

— J'ai quelques minutes pour parler de mes plans à présent que tu as pu examiner l'endroit, dit-elle. Installons-nous près de la baie vitrée.

— Afin d'être un peu moins épiés ?

Elle jeta un œil par-dessus son épaule et s'aperçut que ses clientes ne les quittaient pas des yeux. Heureusement, Seth semblait prendre la chose avec humour. Elle hocha la tête et ils se dirigèrent vers le coin le plus à l'écart de la salle.

— Je ne suis pas habituée à gérer un tel public, avoua-t-elle un peu embarrassée.

— Ce n'est pas le genre de clients que vous recevez habituellement ?

— En effet. D'ailleurs, j'ignore si je pourrais supporter ce genre de groupe au quotidien !

Un sourire se dessina sur les lèvres de Seth. Un sourire moins désarmant que le précédent, mais toujours très séduisant et détendu. Même si Jillian, elle, se sentait loin d'être détendue. Elle accepta le fauteuil qu'il lui présenta une fois arrivés devant la baie vitrée, et elle s'assit pour la première fois depuis qu'elle avait pris son petit déjeuner ce matin. Elle tenta de profiter de ce répit pour se relaxer, mais il suffit que Seth appuie ses hanches contre la table face à elle et étende ses longues jambes pour que Jillian oublie toutes velléités de détente.

— En fait, poursuivit-elle, nous accueillons toutes sortes de gens ici. Certains, comme ces charmantes dames, arrivent par hasard, au gré de leurs pérégrinations touristiques dans la région. Mais la plupart de nos visiteurs viennent délibérément et constituent une clientèle plus « initiée ».

Elle tourna la tête vers les femmes aux chapeaux rouges.

— Mais j'aime aussi faire découvrir le vin à de tels visiteurs. J'aime leur spontanéité, ajouta-t-elle en levant les yeux vers lui pour s'apercevoir qu'il la fixait d'un regard intense.

Curieusement, ce regard ne la mit pas mal à l'aise. Au contraire. Il semblait même renforcer cette sorte de confiance en elle qu'elle éprouvait face à lui. Etait-ce lié à l'aisance qu'elle éprouvait à évoluer sur son lieu de travail ?

Un éclat de rire général émana soudain du petit groupe à l'autre bout de la salle.

— Je n'imaginais pas que tu animais tes séances de dégustation de cette façon, dit Seth d'un air admiratif.

— De quelle façon ?

— Tu ne te contentes pas d'une formule « dégustez-achetez » comme dans la plupart des autres domaines viticoles. Tu apportes beaucoup plus que cela à tes clients.

Ravie de constater qu'il avait compris toute sa démarche, Jillian ne put dissimuler un sourire de satisfaction.

— Notre philosophie est d'initier nos clients aux bases de la viticulture et de l'œnologie. Je pense que cette formule rencontre un vif succès si l'on en juge par le nombre de clients qui nous connaissent via le bouche à oreille.

— Cela ne m'étonne pas, répondit-il en la regardant dans les yeux. Tu es très douée.

Jamais un compliment n'avait donné ainsi le vertige à Jillian. Soudain, elle avait l'impression d'être une adolescente bouleversée par ses premiers émois.

Le groupe de clientes s'esclaffa une nouvelle fois.

— Ce succès d'estime est en partie à l'origine de mon idée de rénover les lieux, expliqua Jillian. Je veux optimiser les volumes et faire entrer plus de lumière. Car, afin de bien montrer les différences entre nos vins, nous avons besoin de plus de lumière naturelle.

— J'ai en effet constaté ce manque de lumière.

Seth se redressa et longea le mur, qu'il contemplait attentivement en palpant certains endroits. Jillian était suffisamment intriguée pour se lever à son tour et le suivre.

— Que penserais-tu d'installer des fenêtres en arcades de chaque côté de la salle ? suggéra-t-il.

— De quelle taille ?

— Du sol au plafond. De la même forme et de la même largeur que tes portes d'entrées.

— Oui… euh… oui ! s'exclama Jillian, en s'efforçant de contenir un minimum son excitation.

Il va le faire ! Il accepte le chantier !

— C'est une excellente idée, Seth, reprit-elle. Les arcades rappelleront la forme des barriques, de la bouteille et du verre de vin ! Est-ce que l'arrondi est compliqué à réaliser ?

— Pour ma part, je peux percer le mur ; en revanche, il faudra faire faire les menuiseries sur-mesure. C'est plus cher.

— Je trouverai un moyen de convaincre Cole.

— Je peux essayer de lui parler…

— Non !

Jillian comprit que son refus avait été un peu abrupt, vu la façon dont les pupilles de Seth se rétrécirent. Mais elle avait besoin de sentir qu'elle, et elle seule, était à la tête de ce projet. Seth devait absolument comprendre qu'elle n'était plus l'âme en peine qu'il avait sauvée des combines de Jason.

— Ce ne sera pas nécessaire, ajouta-t-elle d'une voix apaisée. Cole finira bien par s'accommoder de mes décisions.

— Ah, bon ? s'étonna Seth en levant un sourcil. Et tu lui as imposé beaucoup de décisions ces derniers temps ?

— J'ai par exemple décidé de reléguer aux oubliettes ces uniformes hideux, expliqua-t-elle en désignant les polos rouge-bordeaux que portait le personnel.

Seth hocha la tête.

— Ils sont trop monotones, poursuivit-elle. Notre campagne marketing et de relations publiques étant avant tout axée sur l'approche personnalisée de nos clients, Mercedes et moi avons décidé d'instaurer des uniformes qui ne soient pas… uniformes ! Nous retiendrons une charte de couleurs et chacun s'habillera selon ses goûts et son humeur.

Visiblement impressionné, Seth hocha de nouveau la tête.

Il paraissait convaincu par cette idée, contrairement à Cole et Eli, pour qui les choix vestimentaires de leurs employés étaient secondaires. Ces derniers temps, ils avaient surtout été absorbés par le feuilleton juridique concernant Spencer Ashton et l'héritage Lattimer.

— Si je comprends bien, reprit Seth, tu veux une ambiance conviviale détendue, et un espace de travail fonctionnel et confortable ?

— Oui, c'est exactement ça !

Contrairement aux autres entrepreneurs avec qui elle avait

parlé, Seth comprenait la logique de fonctionnement et les besoins de la salle de dégustation. De plus, il n'hésitait pas à prendre des notes sur son petit calepin.

— Dois-je comprendre que tu acceptes de me faire un devis ? reprit-elle en s'efforçant de ne pas laisser paraître son exaltation à cette idée.

— Oui.

Jillian eut du mal à contenir son émotion.

— Tu es sérieux, Seth ? demanda-t-elle. Ou bien acceptes-tu seulement parce que je t'ai quasiment supplié ?

Il lui adressa un drôle de regard.

— Excuse-moi, mais j'ai dû rater la partie où tu suppliais !

— Comment se fait-il que tu aies changé d'avis depuis l'autre matin, lorsque nous nous sommes vus aux écuries ?

Jillian ne tenait guère à se remémorer ce moment où elle avait été obligée de lui demander son aide.

L'espace de quelques secondes, elle eut l'impression que le regard sombre de Seth la transperçait de part en part. Elle crut qu'elle allait défaillir.

— Comme tu me l'as dit, il ne s'agit que d'un petit chantier, rétorqua-t-il d'une voix désinvolte en haussant les épaules. Et pour une fois, j'ai envie de mettre mes mains dans le cambouis !

Elle frissonna. Cela signifiait-il qu'elle allait devoir subir tous les jours, chez elle, à Louret, le spectacle auquel elle avait assisté à la *Villa Firenze :* la peau de Seth ruisselant de sueur, et cette odeur de muscle chaud et de labeur, qui l'avait mise dans tous ses états ?

Jillian déglutit péniblement.

— Tu as l'intention de faire toi-même les travaux ?

— Bien sûr ! J'ai déjà hâte d'y être !

— Mais tu disais que ton planning était complet jusqu'à

la fin de l'été, bredouilla-t-elle en s'efforçant de comprendre. Comment vas-tu réussir à tout concilier ?

— Je m'arrangerai, quitte à faire quelques heures supplémentaires. Le travail de nuit ne te gêne pas, j'espère ?

Les sourcils froncés, Jillian réfléchit à la situation. Si Seth travaillait la nuit, cela affecterait moins le fonctionnement de la salle de dégustation.

— Non, a priori, ce n'est pas un problème, s'entendit-elle répondre. Mais que fais-tu de Rachel ?

Il la dévisagea quelques secondes.

— Je croyais que tu voulais que je fasse ces travaux.

— C'est le cas.

— Dans ce cas, arrête de me rappeler sans cesse que cela ne sera pas facile !

— Entendu, répondit-elle. A condition que tu promettes de me confier Rachel si tu as des soucis pour la faire garder.

— Ne t'inquiète pas pour Rachel, Jillian.

Elle n'avait aucune raison de sentir ce petit pincement au cœur, mais Jillian ne pouvait s'empêcher de s'apitoyer sur cette adorable et innocente petite fille devenue orpheline à cause de l'égoïsme et de l'imprudence de Jason.

« Ce n'est pas ta faute, se répéta-t-elle. Ce n'est pas parce que tu n'as pas su le satisfaire en tant qu'épouse que cela te rend responsable de ses actions. »

Elle releva le menton et regarda Seth droit dans les yeux.

— Je ne veux pas que ce chantier devienne un problème pour elle, Seth. Tu es en train de me rendre un grand service, et je souhaite simplement me rendre utile en échange. Tu promets de m'appeler si tu en as besoin ?

Seth hocha la tête. Contrairement à son frère Jason, Seth Bennedict était un homme de parole. Et Jillian avait bien l'intention de la lui faire tenir.

4.

Pressée de faire approuver le devis de Seth afin de pouvoir lancer le chantier, Jillian avait convoqué une réunion avec ses frères et sa sœur pour le vendredi après-midi. Seth avait accepté d'être présent. Eve, sa sœur, devait arriver de San Francisco pour passer le week-end et avait promis de s'occuper de Rachel en fin d'après-midi.

Mais Seth n'avait pas prévu qu'Eve lui téléphone, coincée dans un embouteillage. A présent, il était contraint de téléphoner à Jillian et d'annuler la réunion à Louret.

— Je suis navré, mais il est trop tard pour trouver une autre baby-sitter, expliqua-t-il à Jillian.

— Où est Rachel en ce moment ?

— Je suis en route pour aller la chercher à la crèche.

— Viens à Louret et amène-la avec toi, proposa Jillian. Caroline sera ravie de s'occuper d'elle pendant la réunion.

Seth fronça les sourcils. La proposition de Jillian était généreuse, mais sa fille était très timide, et elle n'avait encore jamais rencontré la famille de Jillian.

— Je ne crois pas que cela soit une bonne idée.

Il y eut un bref silence.

— Tu m'as pourtant promis que tu me laisserais t'aider à organiser la garde de Rachel, Seth. Tu reviens sur ta parole ?

Aïe.

— Tu as gagné. Rachel et moi arrivons dans trente minutes !

Vingt-huit minutes plus tard, Seth se garait devant *Les Vignes*. Toujours en tenue de travail, Jillian se précipita sous le porche de l'immense demeure rustique avant même qu'il n'ait éteint son moteur. Elle vint l'accueillir, un sourire chaleureux aux lèvres, adressant également un clin d'œil à la petite passagère à l'arrière.

Seth observa dans le rétroviseur le visage anxieux de sa fille. Elle suçait son pouce. Soudain, il fut saisi d'un sentiment de culpabilité. Après la mort de Karen, il s'était juré de ne jamais laisser son travail interférer avec sa vie de famille. Il n'aurait pas dû amener Rachel à Louret.

Avant même qu'il n'ait posé le pied sur le gravier, Jillian était déjà en train de détacher Rachel de son siège. Penchée au-dessus d'elle, Jillian continuait de lui sourire tendrement. Et à la grande surprise de Seth, la jeune femme venait de trouver la plus naturelle des entrées en matière.

— Mais c'est Pinky Pony ! s'exclama Jillian en désignant la peluche qu'elle lui avait offerte à Noël. Tu as bien fait de l'apporter, Rachel. Il va pouvoir rendre visite à ses amis !

Lentement, Rachel sortit son pouce de sa bouche, mais ses grands yeux marron conservaient une lueur de méfiance.

— Tu as d'autres pouneys ? demanda la petite.

— Oui, plusieurs, acquiesça Jillian.

Après quelques secondes d'hésitation, Rachel se laissa glisser de son siège et prit la main de Jillian.

— Y sont dans ta chambre ?

— Exact ! Veux-tu que nous allions les voir ?

— Y voudra pas venir avec nous, mon papa. Y aime pas les pouneys, y trouve qu'y z'ont mauvais caractère.

— Ah bon ? s'étonna Jillian en se relevant. C'est vrai, Seth ? Tu trouves que les poneys ont mauvais caractère ?

Elle le dévisageait d'un air amusé, et leurs regards se croisèrent.

— Je ne sais pas où elle va inventer tout cela ! dit-il en haussant les épaules, un peu embarrassé.

Jillian parut se retenir de rire, puis inclina la tête et le scruta d'un regard défiant.

— Veux-tu venir avec Rachel et moi voir les poneys dans ma chambre, Seth ?

— Dans ta chambre ? Non, je ne crois pas.

Peut-être n'était-ce pas la meilleure réponse à faire, face à l'humeur taquine et espiègle de Jillian, se dit-il aussitôt. Aujourd'hui, ses grands yeux verts étaient animés de cette vibrante et insaisissable étincelle ; après l'humeur pinot noir de l'autre jour, Seth voyait plutôt en elle un rosé. Un rosé pétillant.

Pour une fois, elle ne se montrait pas fuyante envers lui. Elle cligna des paupières, et brusquement son expression changea. Il eut soudain l'impression qu'une sorte de connivence venait de s'installer entre eux, comme une entente implicite entre un homme et une femme à qui cette dernière vient de proposer de monter dans sa chambre.

Mais il devait s'imaginer des choses. Impassible, Jillian gardait les yeux rivés aux siens, une lueur impénétrable brillant dans son regard, et une teinte rose fardant ses joues.

— Allons-y, tante Jellie ! Pinky veut voir tes pouneys !

Jillian laissa Rachel la tirer par la main vers la maison. La petite semblait avoir oublié qu'elle était timide.

— Rentre donc, Seth ! lança Jillian par-dessus son épaule.

Cole nous attend dans la bibliothèque et Mercedes ne doit pas être bien loin. Quant à Eli, je ne sais pas s'il viendra.

Seth se rappela alors qu'il était à Louret pour une réunion de travail. Et non pour visiter la chambre de Jillian, dans laquelle devait régner cette odeur unique de femme et de vin qui lui collait à la peau et la rendait si attirante. Il poussa un long soupir. Il était temps qu'il reprenne ses esprits et se concentre sur son travail.

— La bibliothèque est au fond du hall à droite ! cria Jillian en se retournant une dernière fois avant de s'engouffrer dans l'escalier de gauche avec Rachel. Je t'en prie, Seth, entre et fais comme chez toi, je redescends dans quelques minutes...

— Tout ira bien, princesse ? demanda-t-il à sa fille.

— Oui, moi je va voir les pouneys de tante Jellie ! l'informa-t-elle d'un ton très sérieux.

— Amuse-toi bien, ma chérie. Et ne mange pas tout leur foin !

Rachel pouffa de rire.

Seth se dirigea vers la bibliothèque, confiant, le sourire aux lèvres. Il n'y avait rien de plus beau à ses yeux que de faire rire ou sourire sa fille unique.

— Tante Jellie ?

Avant d'entrer dans la bibliothèque, Seth se retourna et vit Jillian accroupie face à Rachel, écoutant attentivement ce que la petite lui chuchotait à l'oreille. Il fut frappé par la complicité immédiate entre ces deux petits bouts de femme, qui ne s'étaient pourtant pas revues depuis Noël.

Cette image l'émut au point qu'il lui sembla soudain que l'air qu'il respirait ne parvenait plus jusqu'à ses poumons. Puis il se détendit, et essaya d'oublier qu'il avait peut-être commis une erreur — et pas forcément celle à laquelle il avait d'abord pensé — en amenant Rachel ici avec lui.

Car s'il était assez grand et aguerri pour gérer son attirance pour Jillian, qu'en était-il de sa fille ?

Jillian redescendit dix minutes plus tard. Sans Rachel. Seth comprit que sa fille était à présent quelque part sur le domaine, en train de faire connaissance avec Caroline Ashton-Sheppard. La réunion débuta et, comme prévu, Seth s'engagea sur un contrat dont il n'avait pas besoin et qu'il risquait de regretter.

— Qui sait combien de temps ma mère va la garder, dit Jillian alors qu'ils sortaient de la bibliothèque après la réunion. Le mieux est que tu ailles chercher Rachel directement à l'écurie.

Sa fille était probablement en train de se pâmer devant les poneys et les chevaux des Ashton-Sheppard.

— A condition que tu m'accompagnes et m'aides à l'éloigner de ces animaux caractériels, dit-il en souriant.

— Je suppose que c'est la moindre des choses, murmura-t-elle en fronçant légèrement le nez, vu que c'est moi qui lui ai parlé de Monty en premier.

— Monty ?

— Mon poney.

— Ah…

Ils traversèrent le hall d'un pas léger.

Seth n'avait guère oublié son malaise de tout à l'heure, mais s'efforçait pour l'heure de rester rationnel et pragmatique. A l'avenir, il ne mélangerait plus le travail et sa vie personnelle. En tout cas pour l'instant, Rachel était entre de bonnes mains et lui… ne pouvait résister à la tentation de prolonger ce moment fort agréable auprès de Jillian.

— Tout a commencé avec cette peluche rose, dit-il.

— Tu veux dire que c'est grâce à Pinky que Rachel a développé cette petite passion pour les chevaux ?

— Petite passion ? répéta Seth en hochant la tête d'un air faussement grave. Tu veux dire que tu as fait d'elle une passionaria, voire un monstre !

— Là, tu exagères ! Une petite fille de trois ans séduite par les animaux à poils et à pattes n'a rien d'un monstre…

— On voit que tu n'as pas passé beaucoup de temps avec un bambin fatigué, versatile et capricieux !

— C'est vrai, admit-elle avec une pointe d'émotion dans la voix avant de retrouver son sourire enjôleur. Quoique mes frères m'ont bien assurée qu'à cet âge, j'étais moi-même un véritable monstre !

— Vraiment ? J'ai du mal à le croire.

— Oh, je ne dis pas par là qu'ils ont raison, ajouta-t-elle en lui adressant un regard troublant qu'il ne sut interpréter. Si jamais j'ai pu me montrer turbulente, c'est seulement parce qu'Eli et Cole passaient leur temps à nous importuner, Mercedes et moi.

— Oui, j'ai d'ailleurs cru remarquer que cela n'avait guère changé, acquiesça Seth en se remémorant le ton de la réunion entre Jillian et ses frères et sœur. J'ai eu comme l'impression que tu n'aimes pas être appelée Jellie.

— Je déteste ce surnom ! admit-elle avec un haussement d'épaules.

— Et pourtant tu laisses Rachel t'appeler ainsi.

— Etre appelée tante Jellie par une enfant de trois ans, c'est mignon. Mais lorsque c'est par son propre frère en pleine réunion de travail, je trouve cela… discréditant.

Seth se mordit la langue et se retint de mentionner à quel point il trouvait la Jillian Ashton élégante et féminine aussi désirable que la Jellie dont les joues s'enflammaient chaque fois qu'un de ses frères la titillait.

Jillian poussa un soupir et croisa les bras.

— Puis-je te demander si tu as remarqué d'autres choses intéressantes au cours de cette réunion ?

— Eli était soucieux.

— Il a toujours beaucoup de choses à penser.

— Cole avait hâte que la réunion se termine.

— Sans doute le syndrome du jeune marié.

— Mercedes est une accro aux cookies au chocolat.

— Mercedes n'avait pas mangé à midi, répondit Jillian en riant. Je ne t'imaginais pas aussi observateur…

Elle hocha la tête et le dévisagea d'un regard appuyé.

— Tu me connais assez peu, en fin de compte, répondit-il doucement.

Il y eut un bref silence, alors qu'une sorte de connivence et d'intimité paraissait s'installer entre eux.

— Tu as probablement raison, finit par dire Jillian. Tu me connais mieux que je ne te connais, Seth.

— Tu crois que je te connais ?

Cette semaine il avait découvert mille et un visages à la Jillian Ashton réservée et distante qu'il croyait connaître. Et Seth appréciait sans réserves chacune de ces facettes.

— Tu en sais beaucoup plus sur moi que je ne le souhaiterais, dit-elle en levant le menton et en soutenant son regard. Beaucoup plus que quiconque, excepté ma famille.

— Au sujet du passé, fit-il remarquer, de Jason et de la façon dont il a gâché votre mariage, tu as raison. Mais au sujet de la personne que tu es réellement, je n'en sais pas tant que ça.

Elle secoua la tête d'un air catégorique.

— Si, tu sais à quel point j'ai été crédule. J'ai cru Jason lorsqu'il m'a juré qu'il n'avait rien à voir avec cet investissement véreux et qu'il s'était fait escroquer. Tu sais que j'ai continué à le croire, même lorsqu'il a promis de me rendre mon argent et d'arrêter de me mentir et de me tromper.

Oui, Seth savait tout cela. Mais il savait surtout que Jillian s'était laissé berner par amour pour son mari. Il savait que c'était une femme loyale, fidèle et dévouée qui avait soutenu sans réserve son époux dans l'adversité.

— Tu as assumé ton rôle d'épouse jusqu'au bout, Jillian. Voilà pourquoi je n'ai pas à juger ton comportement d'alors.

Quelque chose changea dans l'expression de Jillian, mais dans la pénombre du soir, Seth ne parvenait pas à déchiffrer s'il s'agissait de résignation, de surprise ou de perplexité. Il crut alors voir Jillian se raidir, et son cœur se serra.

— Je ne sais que répondre à cela, dit-elle calmement. Sinon te remercier de ne pas me juger, et de m'avoir aidée à tourner la page et à oublier mon passé.

— Il n'y a pas de quoi, se contenta-t-il de répondre.

— Et surtout, merci de m'aider à présent, ajouta-t-elle en soutenant son regard d'un air profondément sincère. Ces travaux sont très importants pour moi, et en acceptant ce chantier, tu me rends un immense service.

Une fois encore, ce regard franc et assuré le fit frissonner.

Ce n'était pas la première fois qu'elle le remerciait ainsi.

— Pourquoi ce projet est-il si important à tes yeux ?

— Mon travail ici est toute ma vie. C'est aussi une source de bonheur intense, répondit-elle avec une grande sincérité.

Après l'avoir vue à l'œuvre l'autre jour dans la salle de dégustation, Seth savait qu'elle disait vrai. Sauf que durant la réunion qu'ils venaient d'avoir, il l'avait beaucoup observée face à ses frères et sœur, et avait eu le sentiment que Jillian investissait quelque chose de personnel dans ces travaux.

— Qu'essaies-tu de prouver, Jillian ? demanda-t-il en la scrutant attentivement, persuadé d'avoir deviné.

Pas besoin d'être psychologue pour comprendre ce qui la motivait vraiment dans ce projet. Un silence pesant s'installa entre eux, jusqu'à ne plus laisser entendre que le tic-tac de l'horloge derrière lui.

Elle finit par soupirer et leva légèrement les mains en signe d'abnégation.

— J'ai un certain nombre d'erreurs à rattraper, Seth, et en effet beaucoup de choses à prouver. Notamment par rapport à l'époque où j'ai claqué la porte de Louret, estimant que ma famille ne saluait pas assez mes qualités professionnelles.

— Lorsque tu es partie travailler à Sonoma ?

— En effet.

C'est là qu'elle avait rencontré Jason, le petit frère de Seth, l'enfant gâté de la famille, le commercial beau-parleur qui avait été séduit plus par le carnet d'adresses et le nom de Jillian que par la femme qu'elle était.

— Ma famille s'y était opposée, mais je me croyais plus maligne qu'eux, continua Jillian. Je voulais montrer que j'étais une adulte, capable de faire ses propres choix.

— Et aujourd'hui, que cherches-tu ? Imprimer ta griffe à Louret pour prouver ta valeur professionnelle ?

— Pas vraiment. J'ai juste besoin de faire quelque chose de constructif. D'abord pour moi-même, et aussi sans doute pour tourner définitivement la page sur le passé.

— Constructif, comme par exemple faire tomber de vieux murs pour reconstruire par-dessus ?

Jillian sourit à moitié, semblant apprécier la justesse de sa métaphore, mais le regard toujours sérieux.

— Parfois, reprit-elle, lorsque les vieux murs tombent tout autour de soi, il faut avant tout du temps pour déblayer les gravats.

— Et parfois, on ne peut arriver à tout déblayer seul.

— Parfois, la seule personne disponib…

Jillian s'interrompit soudain et se mordit la lèvre.

— Continue, dit Seth, plus intrigué que jamais.

— Parfois la seule personne disponible pour aider à déblayer les gravats en fait plus qu'il n'en faut. Et se retrouve à dégager bien plus que de la poussière…

— Je ne te comprends pas, Jillian, rétorqua-t-il un peu brusquement. Il y a quelques minutes, tu me remerciais de t'avoir permis d'y voir clair dans les combines de Jason !

— Oui, et j'étais sincère. C'est juste que tu as peut-être été trop efficace. Tu as fait tout cela avec tellement d'aisance que j'ai fini par avoir le sentiment d'être… insignifiante et inutile.

Il se sentit tout à coup impuissant. Tout ce qu'il avait fait, c'était prendre les choses en main afin d'éviter à Jillian de faire face à toute l'odieuse vérité — il n'avait fait que la protéger. Jamais il n'avait souhaité la dévaloriser.

— Et c'est toujours ce que tu ressens ? demanda-t-il en se passant une main nerveuse dans les cheveux.

— Non.

Il la dévisagea. Jillian semblait soudain regretter de s'être confiée. Seth avait du mal à croire ce « non » trop défensif.

Après quelques secondes, elle soupira, et parut se détendre un peu.

— Ecoute, je ne me sens ni insignifiante, ni inutile… C'est juste que ta présence me rend parfois… nerveuse.

— Est-ce parce que je suis le frère de Jason ?

— Oui. En partie.

— Et quelle est l'autre partie ? s'empressa-t-il de demander en sentant son corps se figer.

— C'est que… Tu es si sérieux, raisonnable. Et intense, dit-elle avant de froncer les sourcils comme si elle hésitait à ajouter autre chose. Quand tu me regardes, je n'ai aucun moyen de savoir ce que tu penses de moi.

Il tressaillit. Ainsi, elle n'avait aucune idée de ce qu'il éprouvait pour elle. Soudain, il brûla d'envie de lui expliquer comment elle avait l'art de faire bouillonner son sang au creux de ses veines, et de rendre chaque cellule de son corps folle de désir pour elle.

Sauf que, se rappela-t-il aussitôt, il venait juste de signer un contrat de travail avec Jillian et ses frères. Et qu'il s'était juré de ne pas mélanger vie professionnelle et vie privée.

— Est-ce que le fait que l'on soit amenés à travailler ensemble risque de te poser un problème ? demanda-t-il.

Jillian poussa un soupir et s'efforça de se tenir droite, mais son regard paraissait encore troublé.

— Je l'ai cru, le jour où je suis venue te voir à la *Villa Firenze*. Mais après cette semaine, et surtout après notre réunion d'aujourd'hui… je sais que cela n'en posera aucun.

— Surtout si je me montre un peu moins sérieux ?

— Cela m'aiderait, en effet ! acquiesça-t-elle en souriant, l'air soulagé. Je suis contente que l'on ait éclairci ce point.

— Moi aussi, dit-il, moins convaincu qu'elle que tout était vraiment clair entre eux à présent.

Mais face à un sourire aussi avenant, il n'eut pas le courage de creuser cette embarrassante question. Jillian remuait en lui des émotions aussi profondes que violentes. Des émotions qu'il n'était pas sûr de maîtriser.

Soudain il se souvint qu'il devait récupérer Rachel et consulta sa montre. Comment avait-il pu l'oublier ?

— Je dois aller chercher Rachel et rentrer chez moi, expliqua-t-il. Sinon ma sœur risque d'y être avant nous.

Jillian écarquilla les yeux, comme si elle venait elle aussi de s'en souvenir.

— Attends-moi deux minutes, j'aimerais me changer et mettre ma tenue d'équitation, proposa-t-elle. Ainsi nous pourrons nous rendre ensemble aux écuries.

— Tu vas faire une balade ? A cette heure-ci ?

Une main sur la rampe et un pied sur la première marche de l'escalier, Jillian se retourna vers lui.

— Oui, avant que la nuit tombe. Mais surtout, je vais t'aider à décoller ta fille de Monty. Je me change en moins d'une minute et je redescends.

— Une minute entière pour passer un fuseau aussi moulant ? murmura-t-il en la regardant grimper l'escalier en vitesse, faisant virevolter sa jupe au-dessus de ses genoux.

Au simple souvenir du fuseau que portait Jillian l'autre jour, Seth eut l'impression qu'il ne saurait attendre plus de trente secondes…

5.

Jillian se doutait qu'elle n'avait pas été censée entendre le dernier commentaire de Seth sur ses vêtements…

En enfilant son fuseau, elle sentit ses joues rougir à la seule idée que Seth ait pu être sensible au fait que son pantalon était moulant.

Par ailleurs, il était temps d'être honnête avec elle-même : Seth la troublait beaucoup plus que ce qu'elle avait bien voulu admettre face à lui, et pas seulement à cause de l'attitude raisonnable et sérieuse qui le caractérisait.

En fait, qu'il prenne ou non son air sérieux, Jillian éprouvait pour lui une attirance irrépressible, irrationnelle.

Auprès de Seth, elle sentait ses hormones revenir à la vie et la titiller en lui rappelant qu'à une époque, lorsqu'elle avait encore une vie sexuelle, elle savait gérer les situations de séduction et le regard d'un homme. A l'époque où elle croyait que son mari l'aimait, la chérissait et souhaitait fonder une famille avec elle… A l'époque où elle n'était qu'une idiote aveuglée par un amour naïf.

Et voilà qu'à présent ses hormones se jouaient d'elle en élisant le non-candidat parfait au poste de flirt potentiel. Primo, Seth était ici en tant que collaborateur professionnel. Secundo, il était encore son beau-frère et le père de son adorable petite nièce. Tertio, cet homme était intense et intimidant, alors qu'elle aspirait plutôt au confort et à la sécurité d'une relation rassurante et stable.

Quand elle serait prête à s'engager dans une nouvelle relation, Jillian voulait au moins vivre ce que sa mère et Lucas vivaient, un tendre lien fait de confiance et de respect mutuels.

Elle soupira. Elle n'était plus Jellie, l'adolescente timide et maladroite, ni Jillie, la jeune femme d'une vingtaine d'années rebelle et revendiquant son indépendance, ni Jillian Ashton Bennedict, l'épouse trompée et la veuve démoralisée.

A présent, elle était Jillian Ashton, femme mature et œnologue diplômée. Elle avait besoin de restaurer son amour-propre que son mari avait bafoué. Si elle parvenait à maintenir avec Seth une relation strictement professionnelle, elle gagnerait sans doute son respect. Depuis qu'il l'avait complimentée sur son travail à la salle de dégustation, Jillian sentait qu'elle était sur la bonne voie. Or perdre son temps à se demander ce qu'il pouvait bien penser d'elle ne ferait pas avancer sa cause.

Elle se redressa et ouvrit la porte. Lorsqu'elle entendit des éclats de voix dans le vestibule où l'attendait Seth, son sang ne fit qu'un tour. Elle longea le palier en silence pour tenter de distinguer les voix du haut de l'escalier. Elle reconnut aussitôt sa mère qui chuchotait avec Seth, et supposa que Rachel avait piqué du nez lors du bref trajet qui l'avait ramenée des écuries à la maison.

Jillian fut tentée d'attendre une minute avant de redescendre, ce qui lui aurait évité de faire de nouveau face au magnétisme de Seth. Franchement, elle n'avait pas besoin de le voir bercer sa fille endormie, ni de se languir de tout ce que son mariage à elle ne lui avait pas apporté.

Mais, saisie d'un courage inattendu, elle inspira profondément et s'efforça de se composer une expression détendue, même si son cœur battait la chamade. Puis elle descendit l'escalier.

Or lorsqu'elle arriva en vue du hall, la porte d'entrée venait de se refermer, laissant la maison vide et silencieuse. Jillian en ressentit un intense soulagement doublé d'une déception certaine.

Après la visite de Seth et de Rachel, Jillian avait éprouvé le besoin de faire une longue balade avec Marsanne — cela aurait été la première depuis lundi matin — afin de calmer ses émotions de la journée, mais lorsqu'elle était arrivée aux écuries, le soleil avait déjà disparu derrière les montagnes. Elle s'était promis d'en faire une le lendemain, dès qu'elle aurait fini le nettoyage de la salle de dégustation après la fermeture hebdomadaire. Et c'est ce qu'elle fit, samedi, en se rendant aux *Vignes* après sa journée de travail.

Elle grignota une collation en vitesse, se mit en tenue et se précipita aux écuries.

Elle y trouva Mercedes, affairée à préparer un thé. Mais immédiatement, elle comprit que quelque chose n'allait pas.

— Eh bien, que t'arrive-t-il ? demanda-t-elle à sa sœur qui semblait préoccupée.

— Maman a une visite.

— Un avocat ? demanda Jillian mécaniquement.

— Pire : Anna Sheridan, répondit Mercedes en faisant une petite grimace.

Jillian sursauta.

— Tu veux dire *la* Anna Sheridan ?

— En personne. Et elle a amené le bébé avec elle.

Le bébé qui se trouvait être leur demi-frère. Un de leurs nombreux demi-frères et sœurs mis au monde par l'homme qu'elles se refusaient à appeler « leur père ».

Jillian sentit son estomac se nouer aussitôt.

— Pourquoi est-elle là ? Que veut-elle ?

— Je n'en ai aucune idée, répondit Mercedes. Mais nous pouvons essayer de découvrir cela ensemble.

Seth prit sa voiture et conduisit jusqu'aux *Vignes* avec une seule intention : retrouver le précieux poney en peluche de sa fille qu'elle avait laissé par inadvertance la veille au soir dans les écuries, probablement trop subjuguée par les poneys en chair et en os.

En se garant devant les écuries, il remarqua qu'il ne semblait y avoir âme qui vive à la ronde. Tant mieux, pensa-t-il. Bien qu'un peu d'aide n'aurait pas été de refus dans ce qui s'apparentait à chercher une aiguille dans une botte de foin, il ne se sentait pas d'humeur à échanger des civilités avec Caroline en s'efforçant de dissimuler son attirance pour sa fille.

Il s'étonna de trouver la porte de la grange grande ouverte. L'intérieur baignait dans une profonde obscurité, mais Seth repéra tout de suite que le box de la jument grise de Jillian était vide.

Il sentit une pointe d'inquiétude le gagner. Il était trop tard pour une promenade : il faisait quasiment nuit noire. Seth sortit aussitôt des écuries, et resta quelques instants devant le bâtiment, mains sur les hanches, ses sens en alerte. Soudain, il entendit le bruit distinct de sabots galopant sur le sol et approchant.

La jument apparut comme un fantôme dans un rayon de lune, galopant à une vitesse enragée. Cette fois, elle semblait hors de tout contrôle.

— Espèce d'inconsciente ! hurla-t-il à Jillian. Tu vas te rompre le cou ! Je ne te laisserai pas…

Il ne proféra pas la fin de sa menace, s'apercevant que cette fois, la jument était bien hors de contrôle, *sans cavalier*.

*
* *

Horrifié, Seth se précipita dans son 4x4, démarra en trombe et remonta l'allée à toute allure, manquant de percuter un lampadaire. Il longea la barrière de bois blanc, ses phares fendant le crépuscule.

Tout à coup, il lui sembla apercevoir au loin une forme sombre et l'image du corps inanimé de Jillian lui vint à l'esprit. Mais il constata avec un immense soulagement qu'il ne s'agissait que d'une ombre dans la végétation qui bordait le chemin. Il leva le pied et desserra légèrement son emprise du volant. C'est alors qu'il se rendit compte qu'il était encore essoufflé d'avoir traversé la cour en sprint pour rejoindre sa voiture.

A moins que ce ne soit la montée d'adrénaline causée par la peur qu'il soit arrivé quelque chose à Jillian.

Il se força à ralentir et à réfléchir d'où la jument était arrivée. Il devait impérativement partir à la recherche de Jillian avec méthode et non précipitation. Mais il n'avait aucun moyen de savoir si Jillian se trouvait quelque part dans cette obscurité.

En réalité, elle pouvait être dans n'importe quelle autre partie du domaine, dans n'importe quelle parcelle de vigne, ou le long de n'importe quel sentier de service. Seth avait besoin de renfort. Regrettant à voix haute d'être parti trop vite des écuries et d'avoir oublié son téléphone portable chez lui, il fit lentement demi-tour afin de retourner aux *Vignes*, ouvrant grand les yeux afin de discerner la moindre ombre dans le faisceau de ses phares.

C'est alors qu'apparut, comme par miracle, la silhouette de Jillian, clignant des yeux devant la lumière aveuglante de la voiture. Aussitôt, un soulagement intense parcourut les veines de Seth. Il s'autorisa à retrouver une respiration presque normale, baissa l'intensité de ses phares et se précipita hors du 4x4 à la rencontre de Jillian.

Elle fronçait les sourcils d'un air renfrogné.

— Seth ? Mais que…

Ne lui laissant pas le temps d'en dire plus, il posa ses mains sur les épaules de la jeune femme, avant d'examiner son visage.

— Mais que fais-tu ? s'étrangla-t-elle.

— Je vérifie que tu n'es pas blessée ! répondit-il en débitant ses mots de façon emportée.

Alors qu'il tenait encore délicatement son visage entre ses deux mains, il l'entendit pousser un soupir.

— Es-tu blessée ? demanda-t-il en se rapprochant de son visage pour y chercher une trace de lésion.

— Non, répondit-elle d'une voix mécanique en enlevant ses paumes de ses joues. Seul mon amour-propre l'est à présent, si tu vois ce que je veux dire.

A son tour il poussa un soupir, exhalant toute la crainte et la panique qui l'avaient envahi. Jillian était indemne. Elle était là, debout devant lui, fronçant les sourcils d'un air contrarié, cherchant sans doute à libérer ses mains de l'emprise de celles de Seth.

Mais s'il lui lâchait les mains, il craignait de céder à la tentation de la prendre dans ses bras et de la serrer fort contre son corps. Ou d'embrasser ses sourcils, ses pommettes, sa bouche… Il se sentait à présent tout aussi soulagé de la savoir en sûreté que frustré de devoir réprimer son attirance pour elle.

— Que faisais-tu ici, Seth ? demanda-t-elle d'une voix tremblante.

— Il semblerait que j'étais en mission de sauvetage, répondit-il d'une voix faussement désinvolte.

— Je ne comprends pas, reprit Jillian.

— J'étais aux écuries lorsque ta jument est revenue.

— Marsanne ? demanda-t-elle en enfonçant ses ongles dans la peau de Seth d'un air tendu. Comment va-t-elle ? Est-elle blessée ?

— Pas que je sache. Elle a dévalé la colline au galop.

Visiblement, c'était la réponse que Jillian voulait entendre. Elle soupira et parut se relâcher, passant de la panique au soulagement. Mais elle tremblotait et semblait plus secouée que son orgueil blessé ne voulait bien l'admettre.

Seth ne put s'empêcher d'effleurer les mains de Jillian.

— Je n'aurais jamais dû descendre de Marsanne ! reprit-elle en ôtant ses mains de celles de Seth comme si elles l'empêchaient de parler. Je traînassais distraitement, et elle a pris peur en apercevant une caille dans les herbes. Je n'aurais jamais pu me pardonner si mon inattention avait blessé Marsanne.

— As-tu pensé que tu aurais aussi pu être blessée ?

— Comme je te l'ai dit, seul mon amour-propre en a pris un coup, dit-elle en se passant une main dans son dos tout en grimaçant de douleur.

Cette fois, Seth ne pouvait lui proposer d'examiner cette partie de son corps à la recherche d'une éventuelle blessure. Il se contenta d'effacer du pouce une brindille accrochée à sa joue.

— J'ai l'impression que tu es tombée la tête la première…

— Peut-être ai-je sauté délibérément avant de chuter.

— Peut-être en effet, répondit-il tout en continuant de promener sa main sur son visage, traçant une ligne entre sa pommette et la pointe de son menton.

La façon dont Jillian se laissait caresser, la tiédeur de sa peau, et le rythme subtil de ses pulsations tambourinant dans sa poitrine créèrent chez Seth une réaction qui dépassait de loin un simple désir physique.

Il aurait dû s'arrêter là, et éloigner ses mains, mais il en était incapable.

— Heureusement que je portais mon casque, réussit à articuler Jillian dans un soupir, à moitié paralysée par la caresse de Seth, aussi douce et envoûtante que du velours.

Il lui sembla que Seth lut dans ses pensées car, à cet instant précis, il prit son menton entre ses paumes et plongea ses yeux dans les siens.

— Plus à présent, tu sais.

Plus à présent quoi ? Elle n'était plus couverte de poussière ? Plus caressée par une main de velours ? Plus sur le point de se faire embrasser ?

— Tu ne portes plus de casque, précisa-t-il doucement.

Mais ce qui la dérangea surtout, c'est qu'il desserra son étreinte. Jillian sentit son corps soupirer de déception.

— Je le portais pourtant tout à l'heure…

— L'aurais-tu égaré lorsque tu es tombée ?

Pourquoi était-il obligé de lui rappeler qu'elle avait fait une chute, mettant ainsi fin à l'exquise sensation qui coulait dans ses veines après cette divine caresse ?

— Non, le casque m'a protégée… Je l'ai perdu plus tard.

— Tandis que tu marchais en direction d'ici ?

— Peu importe, je le retrouverai demain de toute façon. Je sais exactement où je l'ai laissé.

Les mains sur les hanches, il la dévisagea avec insistance jusqu'à ce qu'elle admette :

— Bon, d'accord, j'ai fait une petite crise de nerfs et l'ai jeté au loin de colère… Je déteste être abandonnée par ma monture, surtout lorsque ce n'est pas ma faute.

Elle n'aurait jamais dû mentionner le fait que ses nerfs avaient craqué. Seth demeurait sans voix et elle devait avoir l'air d'une enfant prise en flagrant délit. Elle qui voulait gagner son respect, c'était plutôt mal parti…

— En tout cas, j'avais la flemme de marcher jusqu'aux écuries, reprit-elle, se sentant plus penaude que jamais. Et si tu veux bien me ramener en voiture, j'accepte.

A peine fut-elle installée sur le siège du passager, Jillian se sentit plus troublée que jamais par l'ambiance intimiste qui régnait dans le véhicule. Incapable de dissimuler ses émotions, sa peau frissonnait encore aux endroits où Seth l'avait caressée et, à présent, chaque respiration lui apportait le parfum fort et subtil de Seth.

Elle se tourna vers lui. Il la scrutait d'un regard intense, mais curieux.

— Qu'y a-t-il ? demanda-t-elle.

— J'étais juste en train de t'imaginer en train de piquer une colère, répondit-il en démarrant le 4x4 avec un sourire en coin. Mais j'avoue que je n'y parvenais pas.

Jillian remua sur son siège, quelque peu mal à l'aise.

— Si cela peut te consoler, cela ne m'arrive que rarement.

— Tout comme faire du cheval en pleine nuit, j'espère ? ajouta-t-il en se tournant furtivement vers elle.

— J'avais prévu de faire cette promenade plus tôt, mais…

Elle haussa les épaules et sentit remonter à la surface toute la pression de l'après-midi éprouvant qu'elle avait passé.

— Mais quoi ?

— Mais cela n'a pas été possible. Ralentis, Seth, nous approchons des écuries. Il faudra tourner au prochain virage.

— Je te ramène directement chez toi.

— Non, ce n'est pas la peine.

— Tu viens de faire une chute de cheval, Jillian !

— Je ne suis pas blessée ! De plus, je dois m'occuper de ma jument ! protesta-t-elle en posant sa main sur le bras de Seth qui avait pris ce regard qu'elle connaissait trop bien.

Un regard qui signifiait : « Ne t'inquiète pas, je vais prendre la situation en main. »

Il ne répondit pas, mais se gara sur le bas-côté.

— Tu n'as pas à prendre des décisions à ma place, Seth. Ni toi, ni qui que ce soit. J'ai peut-être perdu mon sang-froid avec ma jument, mais je ne suis pas une enfant !

— Je sais, Jillian, répondit-il en se tournant lentement vers elle. Crois-moi, je le sais.

Soudain, l'habitacle du véhicule sembla se rétrécir, à moins que ce ne soit simplement Jillian qui ait manqué d'air. Seth était en train de lui faire comprendre qu'il la considérait comme une femme à part entière ! Il la regardait avec un regard d'homme désirant une femme, et elle sentit son corps tout entier réclamer impudiquement une telle attention.

Son cœur se mit à battre la chamade, son sang à bouillonner au creux de ses veines et ses hormones s'emballèrent. Voilà bien longtemps que Jillian n'avait pas ressenti un tel émoi. Le plus terrifiant était de s'apercevoir qu'il la désirait, elle. Car cela changeait tout. Jusqu'à présent, elle pensait être la seule à avoir le béguin. Or, elle n'était pas certaine de savoir gérer une histoire avec un homme comme Seth Bennedict. Ni même si elle aurait le courage d'essayer.

Paniquée, elle se redressa et releva le menton.

— Vas-tu me déposer aux écuries, ou dois-je descendre et m'y rendre à pied ? demanda-t-elle, sur la défensive.

Elle sentait ses pulsations tambouriner dans sa poitrine. Elle savait que Seth ne s'avouerait pas vaincu.

— Je t'y conduirai quand tu m'auras dit pourquoi tu faisais une promenade si tardive.

Elle se sentit presque déçue. Quoi ? C'était tout ? Aucune question sur la tension qui bouillonnait entre eux ?

— D'accord, répondit-elle en imitant son ton de défiance. Mais seulement quand tu m'auras dit ce que tu es venu faire aux écuries ce soir.

— Mission de secours, lâcha-t-il avec un petit rire.

— Pardon ?

— Rachel a oublié son poney en peluche hier soir, expliqua-t-il. Impossible de la coucher ce soir sans son satané Pinky Pony. L'aurais-tu par hasard retrouvé ?

— Non, mais je t'aiderai à le chercher dès que j'aurai fait rentrer Marsanne. Désolée de t'avoir contraint à te lancer dans une seconde opération de secours.

— Trouve-moi cette peluche et tu seras pardonnée ! dit-il avec une pointe d'humour inattendue dans la voix.

Jillian sentit sa poitrine se serrer. Il était si attirant… Si drôle et si émouvant lorsqu'il parlait de sa fille…

— Au pire, parvint-elle enfin à répondre, j'ai toute une collection de poneys en peluche dans ma chambre. Si jamais nous ne retrouvons pas Pinky, je saurai choisir celui qui lui ressemble le plus.

— Je crains que Rachel ne soit pas dupe, répondit-il en la regardant droit dans les yeux. Un ersatz ne vaut jamais l'original…

Son regard était si profond, si brûlant, si intense, que Jillian crut défaillir sur place.

6.

Il s'était avéré que Pinky Pony n'était pas dans les écuries. Après être retournés aux *Vignes* pour lui chercher un remplaçant, Jillian et Seth l'avaient retrouvé parmi les autres peluches dans la chambre. Mais Jillian avait tout de même insisté pour donner un de ses poneys à Seth pour Rachel.

Et bien entendu, depuis qu'elle s'était réveillée ce matin, Rachel harcelait Seth pour rendre visite à sa tante Jellie et la remercier. Après sa sieste de l'après-midi, elle revint à la charge en grimpant sur les genoux de son père.

— Papa, pour être poli, il faut toujours dire merci !...

Sans relâche, sa petite fille de trois ans mettait en œuvre tous ses atouts de persuasion. Finalement, soucieux de passer son dimanche après-midi dans le calme, Seth lui proposa de remercier Jillian par téléphone.

— Mais Jillian travaille aujourd'hui, prévint-il, et nous devrons attendre qu'elle ait fini sa journée.

— Moi, je t'appelle bien au travail !

— Sur mon mobile, oui. Mais Jillian n'en a pas.

Rachel fronça les sourcils.

— Pourquoi ?

Seth soupira, amusé néanmoins par cette manie qu'avait sa fille de ne jamais se lasser de poser des questions.

— Eh bien, parce que contrairement à moi, tante Jellie n'a

pas une petite fille qui soit un véritable moulin à paroles ! dit-il en ajustant une des couettes de Rachel.

Elle le scruta avec ses grands yeux ronds et solennels qui faisaient toujours craquer Seth.

— C'est pour ça qu'elle partage ses pouneys avec moi, déclara-t-elle très sérieusement. Parce qu'elle n'a pas d'enfant.

Seth se demanda si sa fille ne faisait que répéter là ce que Jillian lui avait dit, ou si elle en était elle-même arrivée à cette conclusion. En tout cas, il n'avait guère besoin de se forcer pour imaginer Jillian avec des bébés, ou en train de s'adonner aux activités engendrant des bébés… et dont les images hantaient déjà son esprit jour et nuit.

Il souleva Rachel et la reposa à terre, lui jetant son regard le plus sérieux.

— Je te propose un marché : si tu promets d'arrêter de me harceler, j'appelle Caroline et lui demande à quelle heure Jillian quitte son travail. Ainsi, nous saurons quand nous pouvons lui téléphoner pour la remercier. Marché conclu ?

— On appelle Caroline tout de suite, alors ?

— Sur-le-champ !

Rachel lui serra solennellement la main pour entériner leur accord.

Seth se rappela alors le dernier marché qu'il avait conclu avec une femme. La nuit dernière, il avait accepté de raccompagner Jillian aux écuries, et en échange elle devait lui expliquer pourquoi elle avait fait sa promenade si tard.

Mais, distrait par la recherche de Pinky Pony, il avait oublié de lui redemander la véritable raison de sa balade nocturne. Et aujourd'hui, il était tenté autant que sa fille de rendre visite à Jillian afin d'avoir le fin mot de l'histoire.

Or le problème était qu'il avait de plus en plus envie de passer du temps avec Jillian. Beaucoup trop envie. Il brûlait de revivre cette sorte de tension sexuelle qu'il avait sentie entre eux la veille, afin de s'assurer qu'il ne l'avait pas imaginée, que cette attirance était bien réelle et réciproque.

Car même s'il avait l'impression d'attirer Jillian, il était quasi certain qu'elle prendrait ses jambes à son cou à la moindre de ses avances, et retrouverait le visage distant et fermé qu'elle lui avait réservé pendant des années. Or, à présent, il savait qu'il existait une autre Jillian.

Une Jillian qui montait sa jument avec une fougue inouïe, presque sauvage. Une Jillian qui le rendait fou avec son petit sourire taquin. Et Seth se languissait de goûter à ses lèvres qui savaient si bien transmettre leur passion pour le vin ; il voulait de nouveau voir ses yeux furibonds après être tombée de cheval et avoir jeté de colère son casque dans les herbes.

Seigneur, que n'aurait-il pas donné pour céder à son désir, là, dans les vignes, à même la terre printanière, avec la lune comme seule témoin…

Mais rien de tout cela ne risquait d'arriver. Pour l'instant.

Hier soir, après avoir bavardé avec sa sœur devant une bouteille de syrah australien, Seth avait décidé de prendre son temps avec cette relation et de ne rien précipiter. Il devait gagner la confiance de Jillian, et profiter pour cela du fait qu'ils allaient travailler ensemble. Ces travaux étaient importants pour elle. Et il désirait Jillian depuis trop longtemps pour ne pas saisir cette opportunité.

Mais il allait devoir maîtriser les pulsions qui le poussaient inéluctablement vers elle. Les prochaines semaines auprès d'elle constitueraient ainsi un test déterminant. Heureusement, Seth était un homme de volonté, et il avait bien l'intention de résister à la tentation.

*
**

Toutes ces bonnes résolutions ne pesèrent pas grand-chose face aux capacités de persuasion de Caroline Sheppard. Une demi-heure après s'être juré de ne rien précipiter, Seth quittait la route 29 pour l'entrée du Domaine de Louret, en se demandant comment elle avait pu le convaincre de venir aux *Vignes* pour la troisième fois en trois jours.

— Nous venons juste dire merci rapidement, rappela-t-il à Rachel qui se trémoussait d'impatience sur le siège arrière.

— Et dire aussi bonjour à Monty !

— Oui, mais un bonjour rapide.

Aussitôt, Rachel se mit à débiter gaiement une série de bonjour en articulant plus vite chaque fois, ce qui ne manqua pas de faire sourire son père.

Vraiment, il avait une chance inouïe d'avoir eu une enfant pareille. Que serait donc sa vie sans ces petits intermèdes de gaieté, d'humour et de tendresse qui ne manquaient jamais de lui rappeler les vraies priorités ?

— Bien, je vois que tu es prête ! commenta-t-il en lui faisant un clin d'œil dans le rétroviseur, tout en se demandant quelle tournure allait prendre cet après-midi.

Il franchit les hautes grilles en fer forgé et aperçut Caroline et une jeune femme rousse penchées au-dessus d'un massif de fleurs. Elles se redressèrent en entendant son 4x4. Caroline lui sourit et lui fit un signe de la main en ôtant ses gants de jardinage.

Malgré ses consignes à Rachel, Seth n'avait aucune idée du temps que durerait sa visite, et en regardant Caroline approcher, tout sourire, il eut la vague impression qu'il ne maîtrisait rien de l'issue de cette visite impromptue.

Jillian avait été prévenue très officiellement par sa mère de la visite dominicale de Seth et Rachel.

— Je leur ai proposé de passer vers 16 h 30 ; cela te laissera le temps de te changer après avoir fermé le chai. Seth viendra te chercher là-bas, et nous prendrons le café dans le jardin.

Cela laissait surtout à Jillian assez de temps pour se poser tout un tas de questions, se souvenir de sa visite à la salle de dégustation, et de leur rencontre improbable de la veille, en pleine nuit.

Alors qu'elle finissait de ranger des verres sous le comptoir de dégustation, Jillian frémissait encore en se remémorant la voix profonde et envoûtante de Seth, la courbe affolante de ses biceps, son regard brûlant et ses mains qu'il avait promenées fébrilement sur sa peau.

Elle referma un des cartons de rangement, soucieuse de rester concentrée sur son travail malgré le trouble qu'elle éprouvait face à ce qui se passait ces derniers temps entre Seth et elle. Cet après-midi constituerait un test, plus tôt que prévu, mais elle se sentait prête à y prendre part.

Sauf que cinq minutes plus tard, lorsqu'elle entendit des pas derrière elle, elle se rendit compte qu'elle avait eu beau se préparer mentalement à cette entrevue, son corps, lui, réagissait au quart de tour. S'efforçant d'ignorer l'effervescence qui agitait ses veines, elle se tourna vers Seth.

Leurs regards se croisèrent, et une décharge électrique sembla aussitôt traverser Jillian, qui fit un effort pour battre des paupières et apaiser cette sensation brûlante. Seigneur, elle devait absolument arrêter de le regarder et recommencer à respirer… à parler… à sourire…

En tout cas, elle devait faire quelque chose.

A commencer par ne plus se laisser hypnotiser par ces yeux, cette bouche et ce T-shirt bleu moulant enserré sur ce torse large et robuste.

— Comment vas-tu ? demanda-t-il. Après ta chute ?

— Très bien, merci, répondit-elle après s'être éclairci la gorge. Ce n'était pas vraiment une chute. Où est Rachel ?

— Aux écuries avec ta mère. Je suppose qu'en ce moment elle est en train de gaver ton poney de beurre de cacahuète.

— Si c'est le cas, Monty lui en sera reconnaissant à vie ! articula Jillian alors que son cœur battait la chamade sous le regard pénétrant de Seth. Moi qui croyais qu'elle était venue pour me remercier, je suis déçue... Ce n'était probablement qu'une ruse pour venir voir son nouvel ami Monty !

Elle s'étonna elle-même de parvenir encore à faire de l'humour en de telles circonstances.

— Ce n'est pas impossible, murmura-t-il en souriant. Ta mère m'a dit que tu serais en train de vider la salle de dégustation de ses accessoires, reprit-il en inclinant la tête vers les cartons à verres empilés sur le bar. Puis-je te donner un coup de main ? Où vont ces caisses ?

— A la cave.

— Tu veux les y porter tout de suite ?

— J'ai un chantier qui commence ici même demain, dit-elle d'un ton distant, et je dois tout débarrasser avant l'arrivée de l'artisan censé le mettre en œuvre.

— Tu as l'intention de tout faire seule ?

— Eli s'est arrangé pour que du personnel vienne en renfort tout à l'heure afin de déplacer les meubles trop lourds. Je ne m'occupe que des bouteilles et des verres.

— Je suppose que c'est parce que tu ne fais confiance à personne d'autre concernant d'éventuels bris de verre ?

Jillian sourit et fit glisser un carton en sa direction.

— J'ai confiance en toi.

Ces mots résonnèrent plus que prévu dans la grande salle, et leur signification prit soudain une tout autre ampleur.

— Ah bon ? demanda Seth à voix basse sans la quitter des yeux.

Elle se sentit aussitôt envahie par une étrange sensation. Evidemment, qu'elle avait confiance en lui. Elle avait confiance en lui en tant qu'architecte, en tant qu'ami sur qui elle savait qu'elle pourrait toujours compter en cas de crise…

Mais en tant qu'homme ? En tant qu'amant potentiel ?

Son cœur se mit à tambouriner contre sa poitrine. En fait, ce n'était pas Seth qu'elle craignait. Mais elle-même, son manque de jugement, et sa propre incapacité à discerner entre simple désir ou amour véritable. En tout cas, elle ne pouvait pas se fier à cette sensualité qu'il avait éveillée en elle.

— As-tu confiance en moi, Jillian ?

— Oui, admit-elle. J'ai confiance en toi.

Il acquiesça, empila trois caisses les unes sur les autres et les souleva.

— Tant mieux. Et pendant que nous descendons tout ceci à la cave, tu vas pouvoir me raconter ce que tu fabriquais sur ta jument en pleine nuit hier soir… Et comment tu en es venue à faire cette chute… Tu me l'as promis !

Jillian cligna des yeux, surprise par ce brusque changement de sujet.

— Ce n'était pas vraiment une chute, protesta-t-elle de nouveau en contournant le bar pour rejoindre Seth.

Elle soupira, puis se lança :

— J'imagine que tu es au courant des dernières révélations sur Spencer Ashton ?

— La rumeur dit que ta famille va lui intenter un procès.

Elle souleva une caisse du bar et se dirigea vers la cave.

— J'espère que ma mère n'aura pas à en arriver là.

— D'après ce que j'ai entendu, la propriété où vit Ashton aurait dû revenir à ta mère. Elle a de bonnes raisons de la lui réclamer, dit Seth en retenant la porte de la cave tout en faisant signe à Jillian de passer devant lui.

— C'est le point de vue d'Eli. Pour ma part, je sais qu'il n'est pas juste que maman ait cédé à Spencer ses actions Lattimer, mais elle redoute les dommages collatéraux qu'un procès pourrait causer à notre famille… ainsi qu'aux autres familles de Spencer, ajouta-t-elle avec dégoût. Dieu seul sait combien d'autres familles il nous cache encore !

Seth et elle longèrent l'étroit couloir qui menait à la cave. Rien que le fait de se remémorer l'histoire d'Anna Sheridan et de Grant Ashton, l'un des jumeaux que Spencer avait eus de son premier mariage avec Sally Barnett et qu'il avait abandonnés, donnait la nausée à Jillian.

Le simple fait de se dire qu'elle portait en elle les mêmes gènes que Spencer Ashton, ce manipulateur sans scrupules, la rendait malade. Chaque matin, devant son miroir, Jillian voyait les mêmes yeux, le même nez et la même silhouette que ce sinistre personnage. Et au moins une fois par jour, elle ne manquait pas de remercier Dieu de lui avoir donné une mère aussi aimante, digne et courageuse.

Une mère qui devait de nouveau déterrer de mauvais souvenirs afin de préserver l'avenir de sa famille.

— Lorsque je suis rentrée du travail hier, expliqua Jillian, ma mère avait une visite.

— Anna Sheridan ?

— Tu connais Anna ? demanda-t-elle en s'arrêtant net.

— Je l'ai croisée en arrivant chez ta mère tout à l'heure.

Evidemment. Si le cerveau de Jillian n'avait pas été aussi ramolli par la présence de Seth, elle s'en serait doutée.

— As-tu par hasard fait la connaissance de Jack ?

— Oui, c'est un joli petit garçon, dit Seth en la scrutant d'un air compréhensif.

Elle poussa un profond soupir avant de poursuivre.

— La mère de ce joli petit garçon, comme tu dis, était

la secrétaire d'Ashton. Elle est décédée peu après sa naissance.

— Anna n'est pas sa mère ?

— Non, c'est sa tante. Elle a obtenu la garde du petit Jack à la mort de sa sœur. Elle se débrouillait très bien sans l'aide de Spencer jusqu'à ce que les tabloïds découvrent qu'il était le père du petit. A partir de ce jour, elle s'est retrouvée traquée par la presse et les paparazzi. Et pour couronner le tout, à présent, un détraqué lui envoie des lettres de menaces.

Incapable de trouver les mots pour exprimer son agacement et son indignation, Jillian pressa le pas vers l'entrée de la cave.

Seth la suivit sans tarder.

— Et elle vient demander de l'aide à Caroline ? s'exclama-t-il. Pourquoi ne pas se tourner vers la police ?

Jillian fut rassurée de voir Seth aussi perplexe qu'elle l'avait été lorsque Mercedes l'avait informée de la situation.

— Apparemment, l'enquête de la police n'a mené nulle part. Anna avait d'abord pensé que Spencer pourrait faire jouer ses relations et forcer la police à prendre ces menaces au sérieux, mais il n'a jamais accepté de la recevoir, si bien qu'elle s'est sentie contrainte de quitter San Francisco.

— A-t-elle essayé de se rendre chez lui ?

— Oui, mais sa femme l'a envoyée promener. Soit elle n'a pas cru Anna, soit elle n'a pas voulu la croire. Et Megan, une des filles de Spencer, a entendu toute la conversation et a suggéré à Anna de venir voir ma mère.

— Je ne comprends pas : elle est encore ici depuis hier après-midi ? demanda Seth en articulant chaque mot.

— Oui. Je crois qu'elle est là pour un bon bout de temps.

A ces mots, elle ralentit le pas et s'efforça de reprendre son souffle.

— Lorsque ma mère a appris que Anna et Jack logeaient

dans une sordide chambre d'hôtel, reprit-elle, elle a insisté pour les héberger aux *Vignes* dans une chambre d'amis.

— Et le fait que ces étrangers s'installent te contrarie ?

— Non, pas du tout. Tu as rencontré Anna. C'est une femme courageuse, sincère, et elle est entièrement dévouée au petit Jack. D'ailleurs, c'est pour lui qu'elle a accepté l'invitation de ma mère.

Jillian fronça les sourcils et tenta de comprendre ce qui la dérangeait le plus dans cette affaire. Mais il y avait trop de raisons d'être perturbée pour en choisir une en particulier.

— Je crains que toute cette situation n'affecte trop ma mère, finit-elle par murmurer.

— Elle n'avait l'air ni inquiète, ni peinée aujourd'hui, remarqua Seth d'une voix sereine et rassurante.

— Je sais. Mais je sais aussi qu'elle ressasse un certain nombre de choses en ce moment. Elle dort mal la nuit. Comment pourrait-elle ne pas être affectée par une telle histoire ? L'actuelle femme de Spencer fut aussi sa secrétaire... A l'époque où il était encore « marié » avec maman.

— L'histoire se répète..., dit Seth d'un ton placide.

— Dans le cas de Spencer, c'est un éternel recommencement.

Elle sentit le regard tendre et doux de Seth sur elle, s'attardant sur les cernes qui lui encadraient les yeux.

— J'ai l'impression que toi aussi, tu as besoin de faire des choses plus constructives que de ressasser pendant la nuit.

Jillian adopta aussitôt une attitude défensive. Bien sûr qu'elle était constructive. La preuve : elle organisait une fête de famille avec Mercedes.

A moins que cette fête ne soit qu'un prétexte pour se donner l'illusion qu'elle avait pris sa vie en main ?

Elle inspira une grande bouffée d'air et les fragrances familières de fruits et de chêne qui flottaient dans la cave l'aidèrent à maîtriser son émotion. Ce n'était pas parce que l'homme à côté d'elle mettait tous ses sens en émoi qu'elle devait se laisser impressionner et perdre la parole.

— Tu as raison, acquiesça-t-elle à contrecœur.

— Comme souvent !

A ces mots, Jillian éclata de rire, ce qui eut le don de la détendre un peu. Seth avait encore plus raison qu'il ne le croyait, se dit-elle dans un bref moment de lucidité. Ce projet de rénovation n'était en réalité qu'une première étape dans le processus de reprise en main de sa vie. L'étape suivante consisterait à finir de nettoyer les gravats de son passé, notamment le chapitre Spencer Ashton.

« Et une fois que tous ces gravats seront déblayés, seras-tu prête pour un homme comme Seth Bennedict ? » ne put-elle s'empêcher de se demander.

Elle observa Seth du coin de l'œil et s'aperçut qu'il la fixait d'un regard sérieux et intense. Son cœur se mit à battre la chamade, mais Seth détourna rapidement les yeux et indiqua la porte de la cave d'un mouvement de tête.

— Je ne sais pas toi, mais si je ne pose pas toutes ces caisses très vite, mes bras vont exploser, dit-il d'un ton neutre qui brisa instantanément le charme.

Jillian soupira, soulagée, et lui lança un regard défiant.

— Voilà ce qui arrive quand on veut jouer au macho qui soulève sans peine trois cartons d'un coup !

— Oh, mais je m'en sors très bien jusqu'à présent !

Et pour illustrer son propos, il ne les porta plus que d'un bras. Jillian eut soudain du mal à respirer, moins par crainte de voir trois cartons de verres brisés à ses pieds que par la vision des muscles contractés de Seth.

A l'aide de l'autre bras, il ouvrit la porte de la cave. Jillian eut une bouffée de chaleur et huma l'odeur musquée de Seth alors qu'elle passait devant lui pour descendre l'escalier.

— Je connais cet escalier comme si je l'avais construit moi-même, dit-elle en se retournant. Je pourrais les prendre les yeux fermés !

— Je ne te le conseille pas, rétorqua Seth vivement. Je ne suis pas d'humeur à épousseter une nouvelle fois ton dos.

Jillian descendit le reste de l'escalier sans ajouter un mot. Elle dut faire un effort surhumain pour arrêter d'imaginer les mains de Seth parcourant son dos et les siennes sur son jean.

Elle déposa sa caisse sur la longue table qu'elle avait fait installer par Eli ce matin, et Seth l'imita. Une nouvelle onde de désir traversa son corps, aussi voluptueuse et étouffante que l'air de la cave dans lequel flottait une puissante odeur de vin vieux, de terre battue et de bois.

Et aussitôt, elle sentit ses sens s'éveiller à l'idée qu'elle se trouvait seule avec Seth, dans cette cave à l'abri des regards.

Appuyant ses hanches contre la table, elle s'efforça de retrouver ses esprits. Pas question de fuir. Elle pouvait tout à fait faire face à la tentation avec calme et maturité.

— C'est ici que j'organiserai les dégustations pendant les travaux, expliqua-t-elle en posant une main sur la table.

Apparemment il prit ce geste pour une invitation, puisqu'il vint s'appuyer près d'elle. Beaucoup trop près. Au point où elle ressentit la chaleur de son corps l'irradier tout entière à travers son blue-jean.

Elle se retrouva aussitôt paralysée, incapable du moindre geste.

Seth balaya la pièce d'un œil attentif et Jillian suivit son regard. Il jaugeait la salle de dégustation de remplacement.

— La température constante et la faible lumière de la cave sont idéales pour la maturation du vin et son stockage, expliqua-t-elle.

— Même si l'endroit n'est pas l'idéal pour le déguster ?

— Bien sûr, ce n'est que provisoire, mais j'ai toujours aimé l'atmosphère de la cave. Mes frères m'y ont enfermée une fois quand j'avais huit ou neuf ans, croyant m'effrayer, mais ce fut tout le contraire, dit-elle avec un sourire en se remémorant l'épisode. Ce soir-là, j'ai demandé à Lucas si je pouvais emménager ici.

— Et il a été d'accord ? demanda Seth d'un air incrédule.

— Il m'a convaincue que mes poneys détesteraient le lieu.

— Tu les collectionnais déjà ? demanda-t-il, intrigué.

— Lucas m'a offert ma première peluche l'année où nous nous sommes installés aux *Vignes*. J'étais à peine plus âgée que Rachel. Mon beau-père est à l'origine de mes deux passions : les chevaux et le vin.

— Ce sont tes deux seules passions ?

Elle se tourna vers lui et se perdit dans son regard sombre et toujours aussi impénétrable. Un frisson d'excitation la tétanisa. Connaissait-elle la réponse à cette question ?

En cet instant, en tout cas, Jillian n'était certaine que de deux choses.

Seth allait l'embrasser.

Et elle allait le laisser faire.

7.

— Laisse-moi vérifier, murmura Seth alors que leurs yeux se croisaient.

Son corps vibrait de la certitude que Jillian n'allait pas se détourner, ni rejeter son baiser. Tandis que ses lèvres se posaient sur celles encore surprises de Jillian, il se promit que ce ne serait qu'un baiser furtif. Il les trouva étonnamment fraîches en comparaison avec le sourire chaleureux et avenant de Jillian. Fraîches et douces, aussi douces que la première gorgée d'un blanc moelleux.

— Continue..., susurra-t-elle contre sa bouche alors qu'il hésitait à prolonger l'instant.

Et elle poussa un petit soupir qui anéantit le peu de volonté qui lui restait.

Il appuya son baiser, et elle émit un léger gémissement de plaisir. Ce soupir à peine audible rendit Seth plus fou de désir encore, et mit son corps dans un état d'alerte sensuelle encore jamais égalé. Jillian mit sa main autour de son cou, ce qui ne l'aida pas à se remémorer ses résolutions de ne rien précipiter...

Jillian entrouvrit alors ses lèvres, et Seth se perdit en elles.

Leurs langues se rencontrèrent et, tout comme les grands vins rouges californiens, Jillian regorgeait de multiples saveurs, dont Seth ne doutait pas qu'elles resteraient longtemps sur son palais.

Il essaya de se convaincre qu'il était en train de commettre une erreur, et que la seule attitude raisonnable aurait été d'interrompre ce baiser. Mais il en était incapable. Cela faisait trop d'années qu'il rêvait de poser ses mains et sa bouche sur celles de Jillian Ashton. Il lui mordilla la lèvre et s'engouffra de nouveau dans sa bouche. Il promena sa langue sur le rebord de ses lèvres, embrassa chacune de leurs extrémités, puis son menton, puis sa gorge… Jillian avait exactement le goût qu'il s'était imaginé. Et il ne pouvait plus s'arrêter à présent. Sa peau était si douce, si soyeuse, que…

Il se figea en se rendant compte que sa main avait glissé le long du dos de Jillian, et était en train de caresser voluptueusement les reins de la jeune femme.

S'il ne s'arrêtait pas tout de suite, il ne pourrait plus résister à la tentation d'allonger Jillian sur la table, et de lui arracher ses vêtements pour goûter enfin son corps dans les moindres recoins, comme il en rêvait depuis des années.

Or ce n'était pas le genre de dégustations à laquelle cette table était destinée.

Délicatement, il remonta ses mains de la courbe de ses reins et se dégagea de son étreinte. Le regard vert intense de Jillian semblait peiner à revenir à la réalité.

Ils restèrent ainsi sans rien dire durant quelques instants qui lui parurent une éternité, respirant de façon saccadée, le visage de Jillian rosé de chaleur sensuelle. Seth s'interdit de prononcer le moindre mot tant que son cerveau ne s'était pas remis en marche.

Peu importait qui avait commencé à embrasser qui, ou qui avait incité l'autre à poursuivre, l'essentiel était qu'il avait su éteindre l'incendie avant que les dégâts ne deviennent irréparables.

Il aurait au moins dû s'excuser, et promettre à Jillian qu'une telle chose ne se reproduirait pas, mais il n'en avait aucune envie.

— J'avais oublié ce que c'était que d'être embrassée.

Incertain d'avoir bien entendu, il la dévisagea, incrédule.

— Tu avais oublié… quoi ? parvint-il à articuler.

— Les choses qui me font vibrer, murmura-t-elle en le transperçant du regard.

Jamais Seth ne se serait attendu à une telle réaction, à une telle audace de la part de Jillian.

— Dois-je comprendre qu'embrasser fait aussi partie de ta liste de passions ?

— C'est possible. En tout cas, cela semble faire partie de ta liste de compétences, ajouta-t-elle en déposant son index sur la bouche de Seth.

Il frémit, peinant à garder son calme. Avait-elle décidé de le rendre fou ? La candeur de ses paroles, la lueur coquine dans ses yeux… Seth posa sa main sur celle que Jillian venait de poser sur sa joue.

C'est alors qu'il sentit la fraîcheur métallique de son alliance… Un détail venant cruellement lui rappeler toutes les raisons pour lesquelles ce baiser n'aurait jamais dû avoir lieu. Et pourquoi il n'aurait jamais dû ne serait-ce que rêver qu'il se produise un jour. La veuve de son frère portait toujours le symbole de son engagement envers un homme qui avait profané ses vœux de mariage.

Jusqu'à la nuit même de sa mort.

Sa poitrine se serra et il repoussa la main de Jillian.

— Je n'aurais pas dû t'embrasser, dit-il d'une voix quasi neutre en se redressant. Je vais chercher les autres caisses.

Les yeux de Jillian s'embuèrent dans la confusion.

— Ce n'est pas la peine.

Oh, que si ! Il était temps qu'il s'éloigne, avant que ses mots ne dépassent sa pensée. Il croisa les bras et la scruta :

— Pourquoi ? Tu n'as plus confiance en moi ? Tu crains que je ne casse tes verres ?

— J'ai confiance en toi, Seth. Tu as toujours été honnête avec moi... S'il te plaît, ne t'en va pas avant de m'avoir expliqué ce qui vient de se passer.

Cette déclaration ne fit qu'augmenter le trouble de Seth. Non, il n'avait pas toujours été honnête. Il lui avait caché des choses. Des vérités qui auraient trop fait souffrir Jillian et qu'il avait jugé bon d'abandonner au passé. Il n'y avait aucune raison à l'époque, ni maintenant, ni jamais, de les lui dévoiler. Il n'avait pas à lui faire part de cette vérité qui le rongeait pourtant depuis des années. Mais elle le regardait d'un regard insistant, l'implorant de parler.

— Je n'ai pas toujours été honnête avec toi, admit-il d'une voix tendue.

Elle se figea.

— Tu veux parler de cette... attirance ?

— Oui.

— Ah, je vois. Car cette semaine il m'a en effet semblé...

— Pas seulement cette semaine, Jillian. Tu avais de bonnes raisons de te sentir mal à l'aise en ma présence. Cela fait longtemps que je luttais contre ce baiser.

Ses grands yeux verts le dévisagèrent, visiblement choqués d'une telle révélation. Elle se mordilla la lèvre.

— Mais à présent ?... Ce baiser ? Et maintenant ?

Seth se raidit, prêt à quitter la pièce pour aller chercher les autres verres. Prêt à fuir devant cette incarnation de la tentation.

— Maintenant quoi ? répéta-t-il. Eh bien, tant que tu porteras cet anneau, rien. Rien du tout, Jillian.

*
* *

Jillian n'écoutait que d'une oreille distraite les commentaires de Mercedes. Bercée par le roulis de la voiture, elle laissa son esprit vagabonder. Elle n'avait pas revu Seth depuis le jour où il l'avait embrassée. Il avait profité des deux jours de fermeture au public pour lancer le chantier de rénovation. Elle l'avait laissé s'activer seul, sachant qu'il saurait où la trouver en cas de besoin.

Manifestement, il n'avait pas eu besoin d'elle.

Mais c'était mieux ainsi, se répéta-t-elle pour la énième fois. Ne pas voir Seth signifiait au moins qu'elle n'avait pas à lutter contre une irrépressible envie de lui sauter dessus comme elle l'avait fait deux jours plus tôt. De toute façon, elle avait assez à faire entre l'installation des nouveaux stands de dégustation dans la cave et la présentation des nouvelles procédures au personnel. Et avec le problème Anna Sheridan, qu'elle avait décidé de prendre à bras-le-corps.

En fin d'après-midi, elle s'était rendue à la propriété de Spencer avec Mercedes et avait fait la connaissance de ses demi-sœurs, Paige et Megan, ainsi que de leur cousine Charlotte. Elles avaient pris le thé ensemble, bavardé de choses et d'autres, et au final, même si rien de concret n'avait été décidé, la communication entre les deux familles était enfin établie.

Mais à présent, songea Jillian en prenant conscience qu'elles étaient presque arrivées à Louret, il allait falloir trouver un moyen de transformer cet essai.

Mercedes gara la voiture sur le parking de la salle de dégustation, et le cœur de Jillian fit un bond lorsqu'elle aperçut le 4x4 bleu de Seth.

— Comment ça va au travail ? demanda soudain sa sœur.

Un peu surprise de la question, Jillian ne laissa néanmoins rien paraître.

— Hormis le fait qu'Eli passe son temps à se plaindre de la poussière occasionnée par les travaux, tout va bien.

— Tant mieux. Cela m'a l'air d'être un gros chantier.

— Pas tant que ça en réalité, corrigea Jillian tout en se penchant pour voir où en étaient les travaux.

— Toujours à tout vouloir contrôler, hein ? reprit Mercedes d'une voix moqueuse, tout en garant la voiture devant les *Vignes*. Tu ferais bien de lever un peu le pied, tu as l'air exténué. Tu aurais bien besoin d'une bonne balade à cheval pour te vider la tête.

— C'est justement ce que j'ai prévu ! répondit Jillian en souriant.

Mais avant cela, elle devait se changer et tenir Anna au courant de sa rencontre avec ses demi-sœurs. A cette idée, son sourire s'effaça. Même si elle avait été bien accueillie par ses demi-sœurs, Jillian avait compris leur regard lorsqu'elle leur avait parlé d'Anna et Jack. Manifestement, il faudrait un certain temps avant que le petit dernier de Spencer Ashton soit accepté et traité comme l'un des leurs.

Jillian monta à l'étage, et s'arrêta devant la chambre d'amis. Anna était assise par terre, entourée d'une pile de vêtements et d'accessoires pour bébé. Elle leva les yeux et sembla surprise de la voir.

— Déjà de retour ? demanda-t-elle à Jillian.

— Oui, et toujours en vie ! rit-elle en enjambant quelques jouets avant de s'asseoir sur le rebord du lit. Où est Jack ?

— Vos parents sont en train de le gâter, répondit Anna en pliant une barboteuse avant de lever de nouveau les yeux vers Jillian. Cela s'est mal passé, n'est-ce pas ?

— Eh bien, nous avons rencontré Paige, Megan et Charlotte

qui nous ont écoutées avec beaucoup d'attention. Surtout Megan, d'ailleurs.

— Mais ?

— Elles ont été choquées d'apprendre l'existence de Jack. Je crois qu'il leur faudra un peu de temps pour s'y habituer.

Anna poussa un long soupir.

— Je comprends. Merci en tout cas d'avoir essayé, Jillian.

— Ne vous en faites, pas. Ce n'était là qu'une première approche. Ne vous découragez pas, Anna. Nous ne nous découragerons pas !

— Je ne me découragerai pas, affirma Anna en serrant la barboteuse contre son cœur. Je ferai le maximum pour protéger mon petit Jack, vous savez.

Oui, Jillian savait. Elle voyait bien la lueur de détermination qui brillait au fond des yeux de la jeune femme, telle une lionne défendant son petit. Jillian eut un pincement au cœur. Elle n'avait personne à défendre, elle.

— Je suis sûre que je ferais comme vous, à votre place.

Anna hocha la tête et continua à plier les vêtements.

— Vous faites vos bagages ? reprit Jillian.

— J'ai assez abusé de l'hospitalité de votre famille.

— Pas du tout, vous vous êtes faite si discrète ! Vous ne m'avez même pas laissé jouer les baby-sitters... Je rêve de passer un peu de temps avec Jack, vous savez.

Anna sourit, mais son visage demeura tendu. Elle saisit une pile de linge de bébé, et la plaça dans un sac de voyage.

— Je dois partir, Jillian. Je ne peux profiter indéfiniment de la charité de votre famille.

Jillian reconnut cette façon de se tenir un peu trop droite : Anna avait beaucoup de fierté et avait l'impression qu'elle se rabaissait en acceptant de rester aux *Vignes*. Elle comprenait ce besoin d'indépendance, de ne rien devoir à personne. Anna craignait d'accepter l'aide de Caroline comme Jillian avait craint d'accepter celle de Seth.

Seth... Jillian s'empressa de le chasser de ses pensées.

— Vous rentrez à San Francisco ? demanda-t-elle.

— Non, c'est trop risqué, entre les menaces et la presse...

— Dans ce cas, où allez-vous ?

— Je trouverai bien un endroit...

Jillian se pencha et posa sa main sur l'épaule d'Anna. Hormis une chambre de motel bon marché, celle-ci n'avait nulle part où aller, nulle part où élever Jack, nulle part où elle pouvait être certaine qu'il soit en sécurité.

— Restez quelques jours encore, le temps de trouver un lieu sûr où vous pourrez vous installer avec Jack. Nous vous aiderons à trouver une maison à louer, un appartement, ou même une chambre dans une pension de famille. Promettez-moi que vous ne prendrez aucune décision hâtive, Anna !

Anna se tenait raide, les traits figés.

— Bon, j'accepte de rester jusqu'à ce week-end, finit-elle par lâcher dans un soupir.

— Nous vous aurons trouvé quelque chose d'ici là, sourit Jillian. Je vous le promets.

Jillian ne se serait jamais doutée qu'elle tiendrait sa promesse si vite. Une demi-heure plus tard, alors qu'elle chevauchait Marsanne pour sa balade de fin d'après-midi, elle s'arrêta net et s'étonna de ne pas y avoir pensé plus tôt.

— Le cottage de Caroline !

Elle dirigea Marsanne au petit galop jusqu'au magnifique cottage, fière de son idée. La maison était inoccupée depuis que Russ, leur chef de chai, avait eu le coup de foudre pour Abby Ashton et que les tourtereaux avaient déménagé dans le Nebraska deux mois plus tôt. Caroline fixerait un loyer symbolique, juste de quoi satisfaire la fierté d'Anna, qui ne pourrait refuser une telle offre, sa priorité étant de protéger le petit Jack.

Mais l'enthousiasme de Jillian se modéra à la vue de la vieille barrière censée empêcher l'accès au lac, en bien trop mauvais état pour faire face à l'enthousiasme d'un bambin. Il faudrait la faire refaire rapidement si Anna acceptait de s'y installer.

Et qui d'autre qu'un artisan père célibataire connaissant par cœur les dangers guettant un bambin intrépide pour effectuer ce genre de travaux ? Un père qui avait su protéger et aimer son enfant plus que tout…

Jillian sentit sa poitrine se nouer.

Un artisan qu'elle avait soigneusement évité ces deux derniers jours parce qu'elle n'avait pas le courage d'affronter la réponse qu'il lui avait donnée concernant la question fatidique : « Et maintenant ? »

Car il était bien plus facile de se réfugier dans le travail et dans les histoires de famille, que d'envisager les implications de ce baiser et de la phrase qu'avait prononcée Seth ensuite.

Cela fait longtemps que je luttais contre ce baiser.

Un frisson parcourut l'échine de Jillian.

Aujourd'hui, en se rendant chez ses demi-sœurs, elle avait défié l'inconnu. Peut-être était-il temps de se lancer un autre défi, se dit-elle en tripotant son annulaire gauche, tout en dirigeant Marsanne vers le chai.

En arrivant devant le cottage, Seth se demanda pourquoi il avait accepté de passer. Jillian l'avait appelé la veille, et il lui avait promis qu'il irait jeter un œil à la barrière cassée. Mais en constatant la nature des travaux, il ne put s'empêcher d'éprouver un certain agacement : n'importe quel employé du domaine ou homme de la famille aurait pu en venir à bout ! Pourquoi Jillian l'avait-elle mis à contribution, lui ? Et surtout, pourquoi avait-il accepté sans broncher ?

Sans doute pour les mêmes raisons qui l'avaient poussé à accepter de rénover la salle de dégustation malgré l'impression qu'il était masochiste.

En soupirant, il sortit sa trousse à outils et entreprit de réparer la barrière. Cinq minutes plus tard, il se redressa, et décida de réparer aussi le volet d'une fenêtre à l'arrière du cottage. Tant qu'il était là, il allait vérifier tous les verrous : Jillian lui avait expliqué qu'Anna Sheridan craignait pour sa sécurité.

Tandis qu'il s'affairait à l'arrière de la maison, il entendit un véhicule se garer près du sien. Chaque cellule de son corps sembla retenir son souffle alors qu'il tendait l'oreille… Même s'il pouvait s'agir d'un quelconque employé de l'exploitation, de Caroline ou d'Anna, Seth sut d'instinct que c'était Jillian.

En effet, elle ne tarda pas à passer la grille et à apparaître, visiblement surprise de le trouver là. Dès qu'il posa les yeux sur elle, Seth ne put plus penser à autre chose qu'au baiser qu'ils avaient échangé quelques jours plus tôt.

Quatre jours, et pourtant il lui semblait encore avoir son goût sur ses lèvres. Quatre nuits à se dire qu'il n'aurait jamais dû céder à la tentation… Et pourtant, tout ce qu'il désirait en cet instant, c'était recommencer.

Sauf que cette fois, il se maîtrisa.

Il s'appuya contre un pilier de la véranda, croisa les bras et s'efforça d'éloigner son regard de cette bouche pulpeuse et avenante. Pour s'aider, il se concentra sur le carton qu'elle portait dans ses bras.

— Tu emménages ? demanda-t-il.

Elle cligna des paupières et parut ne pas comprendre.

— Oh, non, dit-elle en baissant les yeux sur le carton. Ce ne sont que quelques affaires pour Anna, afin de rendre la maison confortable. C'est surtout pour la chambre de Jack.

— Elle est d'accord pour venir vivre ici ?

— Elle n'a pas été facile à convaincre, mais oui ! dit Jillian en reprenant appui sur ses jambes, manifestement gênée par le poids du carton. Peux-tu m'ouvrir la porte ?

Seth mit quelques secondes avant de réagir.

— Euh, oui… Tu as les clés ?

— Dans ma main, dit-elle en lâchant furtivement son carton pour lui tendre la clé.

Bien sûr, il se précipita à sa rescousse — il n'allait tout de même pas la laisser s'effondrer sans rien faire — et l'aida doucement à retrouver son équilibre en même temps qu'il saisissait la clé.

Sauf que pour cela, il se retrouva contre elle, séparé seulement de ce carton — maudit ou providentiel ?

— C'est bon, Seth, tout va bien, dit-elle d'une voix éraillée.

Leurs yeux se croisèrent et Seth sentit son corps tout entier pulser au rythme du désir que ce baiser vieux de quatre jours n'avait en rien émoussé.

— La porte ! répéta Jillian, essoufflée. Ouvre-la vite, s'il te plaît, je sens que mon carton va craquer…

Oui, tout comme sa volonté à lui allait voler en éclats. Il lui avait suffi d'un baiser, et de ce contact rapproché pour perdre la tête… Mais il se dépêcha pour l'heure d'ouvrir la porte. C'était au moins l'occasion de revenir sur terre, de calmer ses émois et ses incontrôlables désirs.

— Tu as d'autres cartons dans ta voiture ? demanda-t-il.

— Non. Maman a déjà fait apporter le couffin et quelques affaires par Lucas tout à l'heure.

— Ah, Lucas est venu ? Pourquoi n'a-t-il pas profité de son passage ici pour réparer la barrière ?

Jillian déballait une couverture pour le berceau et un édredon mais, au ton de Seth, elle leva les yeux.

— Il aurait pu le faire, en effet. Mais j'ai pensé que tu avais l'habitude des problèmes de sécurité dans une maison habitée par un bambin, au vu de ton expérience avec Rachel.

— Je ne suis pas non plus un expert…

— Ecoute, Seth, si tu n'avais pas envie de m'aider, dit-elle d'une voix soudain glaciale, tu n'avais qu'à me le dire…

Il la dévisagea. Elle n'avait pas tort, mais il n'en avait pas fini avec elle.

— Je ne suis pas venu pour t'aider, Jillian, mais pour aider Anna, reprit-il en désignant le volet qu'il venait de réparer. Elle, au moins, accepte toute l'aide qu'on lui propose.

Il se dirigea vers la cuisine et sentit le regard de Jillian posé sur lui. Il le sentait dans chaque muscle, dans chaque nerf tendu de son corps, dans chacune des cellules de son cerveau qui le sommait d'arrêter de se conduire en imbécile et d'admettre enfin ce qu'il voulait vraiment.

Or cela ne servait à rien. Il avait beau désirer Jillian plus que tout au monde, cette relation demeurait impossible.

— Tu as raison, finit-elle par répondre. Anna a en effet besoin d'amis sur qui elle peut compter en ce moment.

— Sans doute n'aurais-je pas réagi de la même façon pour aider sa sœur en revanche.

— Que veux-tu dire ?

Il se retourna lentement et croisa le regard de Jillian.

— Dois-je te rappeler qu'elle avait une aventure avec un homme marié ?

Il sortit de la cuisine en effleurant Jillian au passage, qui demeura figée dans son silence. Puis il passa de pièce en pièce, et examina les loquets et verrous qui auraient besoin d'être changés. Le travail, la routine avaient été deux des piliers de son mariage court et trouble avec Karen, jusqu'à ce qu'il découvre l'infidélité de sa femme.

Il serra les poings. Jason ne s'était pas embarrassé du fait qu'elle porte une alliance, ni même qu'elle soit mariée à son propre frère. Mais Seth n'était pas comme son frère. Il ne pourrait jamais faire l'amour à la femme d'un autre homme… Encore moins une veuve portant encore l'alliance de son défunt mari.

Pourquoi diable Jillian portait-elle encore la bague de Jason ? se demanda-t-il de nouveau.

Il poussa un long soupir. Il était temps que Jillian et lui aient une conversation. Plus que temps.

Il arriva dans la dernière pièce où Jillian avait étendu le duvet sur un lit et la petite couverture dans le berceau. Elle lui tournait le dos, occupée à accrocher un cadre au mur. A la vision de cette femme au milieu de tous ces accessoires pour enfant, Seth sentit son cœur se serrer.

Tout comme l'autre jour aux *Vignes,* lorsqu'il l'avait vue emmener Rachel voir sa collection de poneys en peluche. Ou comme dimanche dernier, dans le jardin de Caroline, lorsque Rachel avait insisté pour s'asseoir sur les genoux de Jillian.

Bon sang, pourquoi cette attirance ne se limitait-elle pas au simple physique, à un simple désir sexuel ? C'était tout ce dont il avait besoin : pas de sentiments compliqués à gérer en cas d'échec, pas de rêves niais de famille nombreuse.

— Tu veux que je t'aide à l'accrocher ? proposa-t-il d'un ton aussi bougon que son humeur.

— Non, merci, rétorqua-t-elle froidement sans prendre la peine de se retourner. Tu as fini avec les verrous ?

— Oui, dit-il en lui ôtant le cadre des mains d'un geste décidé. Où veux-tu le mettre ? Au centre du mur ?

Il crut d'abord qu'elle allait protester, mais elle acquiesça, toujours froidement.

— Comme tu voudras.

Le cadre contenait une petite maxime calligraphiée sur un parchemin : *Tu es plus courageux que tu ne le crois, plus fort que tu n'en as l'air, plus intelligent que tu ne penses.*

— Cela vient de Winnie l'Ourson, précisa Jillian.

Seth tint le cadre bien droit contre le mur et sentit son humeur s'adoucir — comme souvent — au contact du marteau.

— J'ignorais que les oursons étaient aussi philosophes...

Il approcha du mur, décala le cadre de quelques centimètres sur la gauche et poussa un soupir satisfait.

— Que penses-tu d'ici ? demanda-t-il à Jillian.

Jillian ne put lui répondre tout de suite. Elle était sur le point de le mettre dehors et de lui claquer la porte au nez, mais le message calligraphié par sa mère il y a des années la fit réfléchir. Il lui rappelait la décision qu'elle avait prise il y a deux jours.

Une décision qu'elle avait mis des années à prendre.

Jillian inspira une profonde bouffée d'air pour s'encourager et se tourna pour faire face à Seth. Lentement, elle lui tendit sa main gauche, mettant en évidence son annulaire nouvellement libre.

— Ça me fait bizarre, après l'avoir portée si longtemps.

Plus que bizarre, c'était une sensation nouvelle et effrayante. Mais Jillian était fière d'avoir su faire un pas en avant en se débarrassant de ce mauvais souvenir du passé.

— Pourquoi continuais-tu à la porter ? demanda Seth après un silence qui sembla une éternité.

— Ce n'était pas parce que je me sentais encore liée à Jason, expliqua-t-elle en regardant Seth droit dans les yeux. Je la portais pour me souvenir de tout ce que ce mariage m'avait coûté. Mais à présent, je suis vraiment prête à tourner la page. Définitivement. Et à passer à autre chose.

Et comme sa main tremblait toujours, elle la glissa dans la poche de son pantalon.

Seth lui lança un regard intense.

— Qu'essaies-tu de me dire, Jillian ?

— Je ne te dis rien, je te pose une question, articula-t-elle, la gorge soudain asséchée. Que peut-il se passer entre nous maintenant, Seth ? Maintenant que je ne porte plus cette bague ?

8.

Sans un mot, Seth continuait à la dévisager.

A l'évidence, Jillian s'était trompée. Elle avait cru que Seth était attiré par elle. Comment pouvait-elle à ce point se méprendre au sujet des hommes et de leurs motivations ?

— Je suis désolée, dit-elle brusquement en évitant le regard de Seth de peur d'y lire de la pitié. Je viens de franchir une limite et t'ai mis dans une situation inconfortable. Oublie ce que je viens de te dire, Seth…

Elle s'apprêtait à tourner les talons mais se ravisa en entendant le profond soupir qu'il poussa.

— Et comment suis-je censé faire ? demanda-t-il.

Soudain, elle sentit son corps tout entier s'embraser.

— Euh… faire quoi ?

— Oublier.

— C'est que… Tu ne disais rien… Tu semblais si… ahuri.

— Oui, ahuri est bien le mot, répondit-il en hochant la tête. Jillian, tu ne m'avais pas préparé à… ça !

— Désolée… J'ignorais qu'il existait des recettes toutes faites pour « préparer » ce genre de révélation.

Il esquissa un demi-sourire qui aurait presque pu détendre Jillian si elle ne s'était pas une nouvelle fois perdue dans les yeux perçants de Seth.

— Bon, reprit-elle, encouragée par le regard de Seth. Tu disais donc que tu luttais contre ce baiser depuis longtemps ?

— C'est le cas, en effet.

— Et ? Cela valait-il la peine d'attendre ? As-tu envie de recommencer, ou bien une fois t'a-t-elle suffi ?

— Un baiser est loin de me suffire, déclara-t-il d'une voix aussi brûlante que son regard. J'ai envie de faire beaucoup plus que t'embrasser, Jillian.

Une onde de chaleur embrasa sa peau. Jillian était tout à la fois choquée, surprise et excitée par ces dernières paroles.

— Qu'entends-tu exactement par « beaucoup plus » ?

— Ne me pousse pas à l'irréparable, Jillian, murmura-t-il. Ma volonté ne tient plus qu'à un fil à présent.

Peut-être, mais elle avait besoin de savoir où ils en étaient, juste au cas où le fil se briserait… Au cas où, à son tour, elle céderait au magnétisme vibrant de ses grands yeux noirs.

— J'ai simplement besoin que tu m'expliques ce qui se passe exactement, dit-elle. Peux-tu me le dire ?

Sans la quitter des yeux, Seth s'approcha de quelques pas, et lui déclara d'une voix rauque :

— Je te veux, Jillian. Je te veux toi. Je veux sentir ton corps contre le mien, tes lèvres palpiter sous mes baisers, tes seins frémir sous mes caresses. Je te veux tout entière, Jillian.

Il voulait du sexe… Jillian sentit son cœur s'emballer, mais il était trop tard pour faire marche arrière à présent. Elle déglutit péniblement, les yeux rivés à Seth. Leurs regards étaient si brûlants qu'ils auraient pu mettre le feu au cottage. Jillian ne clignait même plus des paupières, se contentant de soutenir le regard de Seth en espérant qu'il devinerait le message qu'elle n'osait exprimer par des mots : « Ton insolence me choque mais elle me plaît… »

— O.K., finit-elle par articuler tant bien que mal.

— O.K. ? réussit-il à répéter d'une voix incrédule. Tout ce que tu trouves à me répondre, c'est O.K. ?

— Non, bien sûr que non, répondit-elle avec un demi-sourire langoureux. Mais après une telle proposition, j'ai juste un peu de mal à trouver mes mots…

Elle n'était pas la seule, se dit Seth. En fait, il pensait la choquer en lui décrivant de but en blanc et de façon impudique tous les fantasmes qu'elle lui inspirait, mais apparemment, cela avait eu pour seul effet d'accentuer son regard fiévreux et provocant.

Tous ses fantasmes seraient-ils réciproques ? se demanda-t-il soudain.

Cette simple éventualité lui donna le vertige. Puis il se souvint du visage de Jillian accrochée à Marsanne, dévalant la colline à toute allure. Il se rappela aussi la passion qui l'animait lorsqu'elle faisait déguster du vin à ses clientes, ou la façon fiévreuse et déterminé dont elle l'avait embrassé.

— Et de quels mots s'agit-il ? demanda-t-il afin de s'assurer de son pressentiment.

Il avait envie d'entendre plus qu'un simple *O.K.*, venant de ses lèvres. Seth ignorait si ce qui faisait pulser ainsi ses veines, ses tempes et ses oreilles était de la crainte ou de l'espoir. Avait-il envie que Jillian l'envoie balader ou bien qu'elle commence à déboutonner sa petite chemise rose ?

— Pour moi, ce serait seulement du sexe, et rien qui ressemble à une quelconque relation, reprit-il afin d'être certain que Jillian ne se méprenne pas.

— Je ne recherche pas une relation, Seth. Je ne suis pas très douée pour cela. Ceci dit, reprit-elle d'une voix enjôleuse, je n'ai jamais eu d'aventure sans lendemain… Comment pourrions-nous faire ?

Tous les sens en éveil, Seth se redressa. Elle s'amusait à le tuer. A petit feu.

— On pourrait aller à l'hôtel, ajouta-t-elle. C'est comme ça qu'on fait, non ?

Seth sentit sa mâchoire se contracter. Tout sauf ça ! Seul Jason emmenait ses maîtresses dans des chambres d'hôtel. Il était incapable de faire cela. Pas de cette façon en tout cas.

— Désolé, je me vois mal t'emmener à l'hôtel.

— Eh bien, nous pourrions rester ici, suggéra-t-elle en désignant les murs du cottage après une brève hésitation. C'est inoccupé tant qu'Anna n'a pas emménagé. Et c'est isolé…

Ce qui donnerait l'impression à Seth qu'ils étaient deux adolescents cherchant à échapper aux parents de Jillian. En un sens, songea-t-il avec étonnement, n'était-ce pas ce qu'ils étaient ? Elle habitait chez ses parents, il vivait avec sa fille…

Il se frotta la nuque, incapable de se résigner. Une relation même brève et dépourvue de sens avec Jillian était impossible.

— Es-tu libre samedi soir ? demanda-t-elle, hésitante et pleine d'espoir. Demain soir je garde Jack pendant que maman et Mercedes invitent Anna au restaurant. Je peux peut-être préparer un pique-…

— J'ai déjà quelque chose de prévu samedi.

Les yeux de Jillian trahirent sa déception, puis elle détourna le regard en se pinçant les lèvres.

— Tu veux dire… Un rendez-vous galant ?

— Tu crois que je sors avec quelqu'un ? Alors que je passe mes nuits à rêver de sexe avec toi ?

Les pommettes de Jillian rosirent, mais elle hocha la tête.

— Pardonne-moi, ça m'a échappé. Je suppose que c'est un rendez-vous de travail ?

Seth se sentit irrité que Jillian ait vu juste. En même temps, ce n'était pas très difficile, vu qu'en dehors du travail, il n'avait aucune vie sociale.

— Oui, il s'agit d'un dîner près de Oakville. Robert et Sophia Neumann m'ont invité à…

— Tu vas dîner au domaine Casinelli ? Je suis impressionnée ! s'exclama-t-elle. Il paraît que Sophia servira son pinot noir 2001 et que les cartons d'invitation ont été distribués avec beaucoup de parcimonie. Comment es-tu arrivé à en obtenir un ?

— Ce sont des amis à moi.

— Vraiment ? J'adore leur vin ! Ce sont de bons amis à toi ?

Irrité par son enthousiasme, mais plus encore par le fait de désirer à ce point une femme sans pouvoir franchir le pas, il lui décocha un regard pénétrant.

— Que cherches-tu, Jillian ? Une nouvelle entrée dans ton carnet d'adresses ? Une recommandation pour du travail ?

Visiblement choquée, Jillian eut un mouvement de recul.

— Pas du tout, je ne cherche rien de tout cela ! s'indigna-t-elle.

Une lueur blessée avait assombri son regard. Seth comprit qu'il venait de l'accuser injustement de ce que Jason avait toujours fait au cours de sa vie : se servir des autres. Il avait courtisé Jillian et l'avait épousée pour entrer chez les Ashton et dans l'industrie du vin.

Et c'est précisément la raison pour laquelle Seth ne s'était jamais vanté d'être ami avec le couple qui avait rendu le domaine Casinelli célèbre dans le monde entier. Jason n'aurait pas hésité à utiliser cette amitié à son profit. Mais Jillian avait beaucoup trop de classe et de fierté pour s'abaisser à de tels agissements.

— Désolé, je suis injuste avec toi, murmura-t-il.

— Non, tu n'as pas à t'excuser…

— Si, bien sûr que si.

Il se devait à présent de réparer les dégâts causés par des accusations si maladroites, et effacer ce détachement froid et distant qui servait de carapace à Jillian. Il voulait réveiller la classe et la pétulance de la femme cabernet sauvignon. Il se pencha vers elle et posa une main sur son épaule.

— Jillian, je suis sincèrement désolé. J'ai été stupide.

— Je n'aurais pas dû être trop curieuse. J'étais juste impressionnée d'apprendre que tu dînais à Casinelli, dit-elle avec un demi-sourire.

A cet instant, Seth sentit qu'il était sur le point de prononcer des mots qu'il risquait de regretter. Mais il ne put s'en empêcher.

— Cela te plairait d'être ma cavalière ?

— Tu me fais marcher, Seth !

— C'est oui ou c'est non ?

— C'est que je ne voudrais pas avoir l'impression de t'avoir forcé la main…

— Oui ou non ? répéta-t-il en la regardant droit dans les yeux. Je passe te chercher à 7 heures.

Elle entrouvrit la bouche, comme pour protester, mais se contenta finalement de hocher la tête avec un petit sourire.

Il lui rendit son sourire, tout en essayant de ne pas penser aux conséquences de ce qu'il venait de lui proposer. Il aurait bien le temps d'y repenser plus tard, tout comme, il le savait, le « O.K. » de Jillian, aussi inattendu qu'inespéré, n'allait pas manquer de le torturer. Mais pour l'instant, il devait rentrer chez lui, ou Rachel et Rosa allaient finir par s'impatienter. Il se dirigea vers la porte.

— Attends ! s'écria-t-elle.

Agacé, Seth se retourna.

— Comment dois-je m'habiller samedi soir ? Y a-t-il un dress-code particulier ?

— Robe de soirée et smoking, répondit-il, amusé malgré lui par la réaction typiquement féminine de Jillian. Il y aura tous les notables du coin, alors n'hésite pas à te mettre sur ton trente et un !

Lorsqu'il vit Jillian descendre le grand escalier de la demeure familiale, le samedi soir, drapée dans une robe qui avait dû appartenir à une déesse, Seth crut défaillir. Le tissu fluide rouge vif flottait autour de ses jambes, lui dessinant une silhouette sublime. Rouge comme un jeune cabernet. Rouge passion. Rouge comme le sang qui bouillonnait au creux des veines de Seth à cette simple vision.

Il ne put s'empêcher d'émettre un sifflement admiratif.

— J'en ai trop fait ? demanda Jillian en s'arrêtant à quelques marches du rez-de-chaussée.

— Tourne-toi et ôte ton étole.

Après une brève hésitation, elle s'exécuta, et Seth sentit le désir naître au creux de ses reins. Elle était magnifique. Son décolleté asymétrique dévoilait une large bande de peau soyeuse, et ses cheveux étaient relevés en un chignon qui dégageait entièrement sa nuque tentatrice. Une pure merveille, élégante et sexy à la fois.

— Tu es parfaite.

Cette réplique parut la rassurer, et elle lui adressa un fabuleux sourire, tout en lui décochant un de ces battements de paupières langoureux dont elle avait le secret.

— Et moi, comment me trouves-tu ? demanda-t-il.

— Je ne t'avais encore jamais vu en smoking, dit-elle en rougissant. Ça change radicalement du jean que tu portais la dernière fois.

La dernière fois… Au cottage. La référence à ce moment d'intimité qu'ils avaient partagé donna des ailes à Seth. Il prit l'étole des mains de Jillian et la lui passa autour des épaules.

— J'aime beaucoup ta coiffure, murmura-t-il.

Il adorait la façon dont ses boucles retombaient au-dessus de sa nuque sur laquelle il aurait volontiers déposé quelques baisers brûlants. En attendant, il remonta un doigt le long de sa courbe délicate et lui chuchota à l'oreille :

— J'aime aussi ton parfum.

— Je ne porte jamais de parfum. Cela pourrait gêner lors de mes dégustations.

Il sentit un frisson parcourir son dos, et dut faire un effort presque surhumain pour se retenir de l'embrasser.

— Tu es prête ? dit-il en faisant un pas en arrière.

Elle leva le menton et soutint son regard.

— Plus prête que jamais !

Mais lui, était-il vraiment prêt ?

En général, Seth n'était pas un adepte de ce genre de mondanités. Il avait accepté l'invitation car cette soirée était destinée à recueillir des fonds pour une association caritative, et il n'avait osé dire non à Robert. Mais il ne se serait jamais attendu à passer une si agréable soirée.

Au bras de Jillian, tout lui paraissait soudain très simple, évident.

Entourée des viticulteurs, œnologues et de tous les notables de la viticulture que ce type de soirée réunissait, Jillian était dans son élément. Durant le trajet qui les conduisait à Oakville, la tension entre eux avait été presque palpable. Mais à présent, Jillian était détendue et parlait vin.

Il se félicita de lui avoir proposé d'être sa cavalière. Les yeux de la jeune femme brillaient d'enthousiasme et d'aisance, et bien qu'elle fût prise par la conversation qui animait la table à laquelle ils étaient assis, Seth voyait bien qu'elle était troublée par sa présence à côté d'elle. Sans échanger le moindre mot, il lui avait suffi de croiser une fois son regard brûlant pour comprendre qu'elle était au moins aussi excitée que lui de cette proximité entre leurs deux corps impatients. Et il avait su à cet instant qu'il passerait la nuit avec elle.

Un serveur vint débarrasser le plat principal de Jillian, interrompant sa discussion avec un marchand de vin. Seth en profita pour lui glisser à l'oreille :

— Tu passes une bonne soirée ?

Elle acquiesça avec un sourire satisfait qui ne fit qu'aiguiser l'appétit sensuel de Seth.

— Jusqu'à présent, je n'ai été mal à l'aise qu'une fois.

Il leva un sourcil interrogateur.

— Tu te souviens de ce viticulteur français que l'on nous a présenté tout à l'heure ? dit-elle en plissant le front. Eh bien, il travaille pour mon… Pour Spencer.

— Et ?

— L'espace d'un instant, j'ai paniqué en me disant que c'était exactement le genre de soirée où Spencer Ashton aime se montrer… Mais, même s'il était là, cela ne changerait rien en fin de compte, ajouta-t-elle, un brin nerveuse.

— Il t'évite ?

— Ce n'est pas le mot que j'aurais choisi. Disons que pour éviter quelqu'un il faut avant tout admettre son existence, expliqua-t-elle en choisissant ses mots. Mais nous passons une agréable soirée, parlons de choses plus réjouissantes et oublions cela !

Vu la vulnérabilité évidente de Jillian dès qu'elle parlait de Spencer Ashton, l'homme qu'elle s'appliquait à ne pas appeler « mon père », Seth comprit qu'il n'allait pas être facile d'oublier ce dernier. Mais il n'était pas question de laisser l'ombre de ce personnage immoral s'immiscer entre eux lors d'une telle soirée.

— Oublié ! mentit-il.

Il fut récompensé par un sourire irrésistible.

— Merci de m'avoir invitée, Seth.

— Tout le plaisir est pour moi !

Leurs yeux se croisèrent et Seth ne fit aucune tentative pour dissimuler le plaisir qu'il avait en effet à être à ses côtés. Quelque chose de torride était en train de se passer entre eux, c'était une merveilleuse sensation.

Seth effleura la main de Jillian et inclina la tête pour humer son verre.

— Voilà la raison de ta venue ce soir, dit-il en désignant le vin.

— Ce n'est pas la seule raison, même si professionnellement, c'est pour moi une chance d'être ici ce soir, répondit-elle en effleurant sa main à son tour.

Ce nouveau contact manqua de le faire défaillir.

Jillian lui sourit puis saisit son verre d'une main délicate. Ce geste n'était sans doute pas censé le provoquer, mais il raviva de plus belle le désir de Seth. Ils étaient à peine à mi-repas que déjà Seth avait hâte de rentrer pour se retrouver enfin seul avec elle, au calme.

Elle souleva son verre à pied et l'inclina afin de faire contraster la robe rubis du vin avec la nappe blanche.

Rubis comme cette robe de soie moulant cette peau de porcelaine, songea-t-il aussitôt.

— Regarde-moi ça, murmura-t-elle, c'est magnifique ! Voilà le vin que j'aimerais produire un jour, dit-elle en faisant tournoyer le liquide à l'intérieur du verre. Enfin disons plutôt un vin qui exprime ma propre conception de la beauté.

— Louret produit déjà un pinot très correct, remarqua Seth.

— *Eli* produit ce pinot, corrigea-t-elle. Et au passage, je te déconseille de le qualifier de « correct » devant lui !

Seth sourit. Jillian rêvait donc de fabriquer son propre vin. Et pas seulement un vin ordinaire, mais un grand cru.

— Tu voudrais créer ta propre appellation, ou faire cela au Domaine de Louret ? demanda-t-il.

— J'adorerais le faire pour Louret, mais Eli occupe déjà le terrain. Et si quelqu'un doit prendre la relève un jour, ce sera sans doute Mason.

Sans amertume ni jalousie, les yeux de Jillian pétillaient d'ambition. Seth imagina ce que ce pouvait être que de travailler ainsi en famille. Certes, il devait y avoir beaucoup d'amour et de soutien, mais cela devait être difficile pour la petite dernière de s'affirmer face à des caractères aussi forts que ceux de Cole et Eli.

— Ne pourrais-tu pas envisager de fabriquer toi-même une toute petite réserve à ton nom ?

— Oui et non, répondit-elle en continuant de faire tournoyer son verre entre ses mains. Cela m'obligerait à faire venir les raisins.

— Est-ce un problème ?

— Trouver de bons raisins est un problème. Le rendement est faible et le coût élevé. Ce genre d'expérience est complexe et risquée.

— Certains risques valent la peine d'être pris.

— Et d'autres non, dit-elle en levant les yeux vers lui, tout à la fois sérieuse et troublée. La vraie difficulté est de discerner entre ce qui vaut la peine et le reste.

Seth se sentit encore plus troublé. Parlait-elle toujours de viticulture ? De la façon désespérée avec laquelle elle s'était raccrochée à un mariage construit sur le mensonge ? Ou de la possibilité qu'une relation s'installe entre eux, et qui ne serait peut-être pas seulement une aventure sexuelle ?

— Tu as raison, répondit-il. Et c'est bien pour cela qu'il faut faire confiance à son instinct, même si, parfois, ton instinct te dit que c'est trop risqué, et que quelque chose de plus profond encore, une sorte d'élan passionné te pousse à le faire quand même.

— Peut-être ne suis-je pas assez passionnée…

— Peut-être as-tu simplement besoin que l'on te pousse un peu à faire ressortir cette passion au fond de toi ?

Elle le contempla quelques secondes sans répondre, puis ajouta :

— Sans doute… Tu es d'ailleurs assez doué pour réveiller la passion, n'est-ce pas ? murmura-t-elle en le fixant droit dans les yeux.

— Possible…

Seth posa ses deux mains à plat sur la table, et après un bref moment d'hésitation Jillian glissa sa main gauche sur la sienne. Elle semblait si fine, si délicate à côté de la sienne. Et si incroyablement érotique. Seth souleva la main et la porta à ses lèvres, en proie à un intense désir qui lui dévorait le corps et l'âme.

Soudain, quelqu'un tapota un couvert sur un verre afin de faire taire le brouhaha ambiant, et Seth fut brusquement rappelé à la réalité. Il aurait été incapable de dire combien de temps Jillian et lui étaient restés immergés dans cette espèce de bulle sensuelle.

Il se retourna et fit semblant d'écouter le discours de Robert pour le lancement du pinot noir Casinelli 2001. Tout ce qu'il retint, ce fut la dernière phrase : « Laissons le vin parler de lui-même ! », suivie d'une salve d'applaudissements alors que tous les convives levaient leurs verres.

Seth observa Jillian humer le bouquet du vin, et patienter un moment avant de porter le verre à ses lèvres. Elle but une première gorgée, ferma les yeux et garda un instant le liquide en bouche. La teinte rosée de ses pommettes souriantes, le mouvement subtil de sa gorge alors qu'elle avalait, l'éclat soyeux de ses lèvres aussi rouges que le vin se conjuguèrent pour réveiller en Seth un désir violent et irrépressible. Il avait soudain envie de provoquer en elle un plaisir aussi sensuel que celui qu'elle éprouvait à cet instant au contact de ce vin délicat.

— Alors, tient-il ses promesses ? demanda-t-il d'une voix rauque et chaude en désignant le verre.

— Hmm, il est même meilleur que ce que j'avais imaginé, dit-elle avant de prendre une nouvelle gorgée. Il est plus suave que l'année dernière, le bouquet de fruits est plus présent… Il y a des notes de cerise et de framboise… ainsi qu'une note fleurie qui me rappelle le 1997.

Seth saisit son propre verre et huma le liquide.

— Tu es capable de deviner les millésimes ?

— Pour tout te dire, j'ai fait un sans fautes lors de mes examens en dégustation.

Il imagina Jillian les yeux bandés… et tellement sexy.

— J'aimerais beaucoup voir ça, murmura-t-il en souriant alors que l'idée se précisait à son esprit.

Elle leva les yeux vers lui.

— C'est-à-dire ?

— J'ai moi-même une cave relativement bien fournie.

— En pinots ? En pinots de *Sophia* ? Comment cela se fait-il ? demanda-t-elle, soudain fébrile.

— Je t'ai déjà dit que les Neumann sont de bons amis, répondit-il en haussant les épaules.

— Laisse-moi deviner : je parie qu'ils t'envoient une bouteille chaque année pour Noël !

Que pouvait-il répondre ? Elle avait raison.

— Et tu m'as fait marcher en me laissant croire que tu

n'y connaissais rien en vin, ni en pinot ! s'exclama-t-elle, incrédule.

— Ce n'est pas parce que j'ai du vin chez moi que j'y connais quelque chose et que je sais l'apprécier…

Elle ne semblait pas convaincue.

— La seule question que je me pose lorsque je goûte un vin, poursuivit-il, c'est de savoir si je l'aime ou non. Alors, es-tu prête à relever le défi ?

— Pour une dégustation les yeux bandés des pinots Casinelli ? Tu te moques de moi, sans doute ?

Elle le testa du regard avant de reprendre :

— Quand ?

— Ce soir.

Seth savoura cet instant, certain de la réponse qui allait suivre, mais brûlant de l'entendre sortir de ses lèvres si désirables.

— O.K. !

9.

— Ah non, Seth ! Non, non et non ! s'écria Jillian en levant les mains avec effroi. Tu ne vas pas ouvrir toutes ces bouteilles, c'est de la folie !

— Tu te dégonfles ?

— J'essaie juste de te convaincre de ne pas faire quelque chose que tu pourrais regretter, affirma-t-elle en redressant le menton.

Seth rassembla la demi-douzaine de bouteilles qu'il avait sélectionnées dans son époustouflante cave et désigna les escaliers à Jillian.

— Après vous, chère madame.

Jillian ne bougea pas et lui adressa un regard perçant.

— Je ne te laisserai pas gaspiller des milliers de dollars rien que pour tester mon palais !

Seth leva les bouteilles d'or rouge.

— Cela ne m'a pas coûté un centime !

— Peut-être, mais elles ont beaucoup de valeur. Je ne te laisserai pas les ouvrir.

Il sembla amusé.

— Et comment comptes-tu t'y prendre ? Tu vas me confisquer mon tire-bouchon ?

Levant les yeux au plafond, Jillian finit par s'engager dans l'escalier.

— Comme tu voudras. C'est ton vin, ton argent, et ton gâchis après tout.

— Non, répondit-il calmement alors qu'elle passait devant lui. Cela n'a rien d'un gâchis.

Cherchant une réplique, Jillian s'arrêta sur la première marche et se retourna vers lui. Seth ne plaisantait plus. Une force sensuelle quasi palpable émanait de son regard, une force qui donna soudain l'impression à Jillian de manquer d'air. Une force qui faisait s'emballer violemment son cœur et lui fit oublier de gravir les marches.

— Et pour ton information, reprit-il en s'avançant vers elle l'air très sûr de lui, cela n'a rien d'une folie.

A ces mots, il déposa un baiser franc et décidé au creux de son cou.

Abasourdie par tant d'audace, il fallut quelques longues secondes à Jillian pour réussir à remettre ses jambes en mouvement pour remonter l'escalier. Mais il était bien trop tard pour résister à l'emprise sensuelle totale que cet homme avait sur elle !

C'était une folie. Mais ô combien délicieuse... Jillian sentit le regard de Seth posé sur elle alors qu'elle émergeait de l'escalier dans son vaste salon, et cette simple sensation la fit frémir de tout son corps. Elle s'abandonna au délice des ondes brûlantes qui la parcouraient.

Le plus fou dans tout ça, c'était que le regard profond et provocant de Seth ne la mettait même plus mal à l'aise. Tout au long de ce merveilleux dîner, elle avait reçu son attention avec un mélange de sérénité, de confiance, et de plaisir. Voilà si longtemps qu'elle n'avait pas eu de rendez-vous galant qu'elle en avait oublié le frisson occasionné par le fait d'ignorer où et comment la soirée allait se terminer.

En tout cas, elle avait laissé Seth la ramener chez lui. Or c'était une maison qu'il partageait avec sa fille et son employée de maison. Elle n'avait aucune raison de croire qu'il se passerait quoi que ce soit après la dégustation de vin. Même si elle fut envahie par une troublante sensation d'intimité en regardant Seth poser les bouteilles, le tire-bouchon et les verres sur la table basse.

Elle n'avait aucune raison non plus de sentir son cœur s'affoler quand Seth enleva son nœud papillon. Dans le taxi qui les avait ramenés à Napa, il l'avait déjà desserré pour être plus à l'aise mais à présent…

— Seth, que fais-tu ? demanda-t-elle, l'estomac noué alors qu'il avançait vers elle en jouant avec la petite bande de tissu.

— On avait bien parlé de dégustation les yeux fermés ?

— Oui, mais…

— Si tu veux toujours jouer le jeu, dit-il en s'arrêtant devant elle, voici de quoi te bander les yeux.

— Enfin… Et si jamais quelqu'un descendait et nous surprenait ? bafouilla-t-elle en se tournant vers l'escalier qui menait à l'étage.

— Rachel dort chez Rosa. Nous sommes seuls.

Cette fois, Jillian crut que son cœur allait lâcher. Etait-elle prête pour ce qui allait suivre ? Etait-elle prête à se retrouver seule avec cet homme qui était sur le point de faire toutes les choses qu'il avait évoquées ? Elle soupira, en s'efforçant de penser d'abord à la dégustation. Chaque chose en son temps. Les yeux bandés, elle pourrait plus facilement se concentrer sur le vin, et oublier le charisme de Seth.

Elle haussa les épaules et se retourna vers lui, la gorge nouée, tandis que Seth approchait derrière elle et lui passait le bandeau de soie noire autour des yeux.

Seigneur, que venait-elle d'accepter ?

Plutôt que de lui faire oublier Seth, l'obscurité eut pour effet d'accentuer sa présence près d'elle. Le nœud papillon exhalait son odeur virile, sexy. Un arc électrique semblait attirer inéluctablement leurs corps l'un vers l'autre.

Seth mit un temps infini à nouer le bandeau, car il prenait soin de ne pas coincer les boucles de cheveux rebelles de Jillian. Elle sentit sa poitrine s'enserrer à l'idée que Seth serait sans doute aussi prévenant, une fois au lit…

Une fois plongée dans le noir, tous ses sens ivres de Seth, elle eut l'impression que tout était possible. Enfin, tout sauf se laisser faire passivement…

Jillian sentit le souffle tiède de Seth effleurer la pointe de ses joues. Faisait-il exprès d'être si langoureux ? Cherchait-il à la rendre folle de désir ?

— Ne bouge pas, dit-il à voix basse. J'ai presque fini.

Puis, il posa les mains sur ses épaules décolletées et la fit pivoter pour la mettre face à lui.

— Tu me vois ?

Elle sentait sa présence, son odeur…

— Non, dit-elle en secouant la tête.

Il referma ses doigts autour de ses épaules durant un long et étourdissant moment. Jillian crut qu'il allait l'embrasser… Mais, il finit par se dégager.

— Veux-tu t'asseoir ? demanda-t-il.

— Non, je peux rester debout.

Enfin, je crois…

Après un soupir d'approbation, il s'éloigna. Jillian supposa qu'il avait rejoint la table où l'attendaient les précieuses bouteilles de pinot. Quelques battements de cœur plus tard, le bruit d'un bouchon qui saute sortit Jillian de son étrange torpeur sensuelle.

— S'il te plaît, n'ouvres-en qu'une, supplia-t-elle. Je ne supporte pas l'idée que tu gaspilles les autres.

Pour simple réponse elle entendit le bruit d'un liquide versé dans un verre. Puis quelques pas, et de nouveau cette odeur d'homme vint titiller ses narines.

Une onde irrépressible de désir parcourut tout son corps.

Seth lui plaça un verre dans les mains.

— Nous commencerons par une bouteille, murmura-t-il.

Jillian sourit, soulagée de le sentir s'éloigner après quelques secondes passées trop près d'elle. Au moins, elle pouvait enfin se concentrer sur le vin. En temps normal, elle l'aurait laissé s'aérer dans le verre… Mais elle n'était pas en temps normal. Elle fit tournoyer le liquide à l'intérieur du verre et…

— Tu veux que je t'aide à le porter à tes lèvres ?

— Je suis sûre que je retrouverai ma bouche, même dans le noir, rétorqua-t-elle, surprise du ton assuré avec lequel elle avait répondu. Je secoue juste un peu le verre afin de libérer les arômes de ce petit bijou.

Puis elle leva le verre en l'air et s'entendit dire :

— Je le mets à la lumière afin que tu me décrives sa robe.

Seth eut un petit rire langoureux qui la transperça de part en part. Il s'approcha d'elle jusqu'à l'effleurer et elle le sentit refermer ses doigts autour du verre, l'inclinant dans les deux sens.

— Alors ? demanda-t-elle. Que vois-tu ?

— Du rouge.

Elle éclata de rire, évacuant ainsi toute la tension sensuelle et sensorielle accumulée depuis plusieurs minutes.

— Tu pourrais peut-être être un peu plus précis ? Comme par exemple me décrire quels tons de rouge ?

— Le même que ta robe, dit-il en posant une main sur l'une de ses bretelles. Pinot noir.

Le contact de sa main sur sa peau et sa dernière réplique mirent de nouveau Jillian dans tous ses états, et elle se souvint de la dernière fois où Seth avait prononcé ces deux mots, sur le même ton énigmatique.

— L'autre après-midi, lorsque j'étais avec le groupe de clientes, tu as décrit mon humeur en ces termes : pinot noir. Qu'entendais-tu par là ?

— Si tu étais un vin, c'est à celui-là que tu ressemblais le plus ce jour-là.

— Et pour les autres jours ?

— Cela dépend... Blanc sec, pétillant estival, rouge corsé... Mais comme je te le disais, je n'y connais rien en vin. Je ne fais qu'apprécier.

Jillian ressentit une étrange émotion en l'entendant. Avait-il vraiment observé autant de facettes chez elle ?

— Tu es un peu comme une dégustation à l'aveugle, reprit-il en caressant le nœud papillon autour d'elle. Avec toi, je ne sais jamais à quoi m'attendre.

Doux Jésus, elle allait défaillir...

— Donc, nous venons d'établir que tu tiens un pinot noir entre tes mains, continua-t-il. Peux-tu m'en dire un peu plus ?

Jillian se concentra de nouveau sur le vin, malgré les frissons qui agitaient son corps.

Elle secoua de nouveau le verre, les sens chamboulés, et la perception troublée. Comment n'avait-elle rien vu venir de ce qui était en train d'arriver, alors que Seth la guettait depuis des semaines ?

Qu'était-il en train de leur arriver ? C'était plus qu'une simple amourette, plus qu'une simple attirance physique, et beaucoup plus dangereux qu'une simple aventure. En tout cas, une chose était sûre : Seth l'attirait comme un aimant.

Un instant perturbée, elle porta son nez au-dessus du verre et inspira profondément, jusqu'à ce que tous les arômes envahissent ses sens et lui fassent oublier qu'elle s'était laissé entraîner dans ce jeu dangereux. Puis elle but une gorgée de vin qu'elle mit du temps à avaler, souhaitant s'imprégner de tous les tanins, et surtout retrouver un peu ses repères. Lorsqu'elle eut enfin retrouvé son équilibre, elle sentit alors s'exprimer toute la richesse du vin.

Trop facile. Elle aurait reconnu ce vin entre mille.

— C'est un 1999, déclara-t-elle avec un sourire satisfait. Un nez puissant, une personnalité unique. Robuste, charpenté… Sa structure est plus complexe que le 1998, mais on reconnaît bien là la griffe Casinelli.

Elle n'avait même pas besoin de la confirmation de Seth. Elle savait qu'elle avait raison. Et n'en était pas peu fière.

— Si *tu* étais un vin, dit-elle en levant son verre comme pour trinquer, ce serait sans nul doute celui-ci !

— Un pinot hors de prix ? demanda-t-il après un certain silence. Tu en es certaine ?

Pas tant que cela, à vrai dire, se répondit-elle en elle-même. L'autre jour, dans la salle de dégustation, elle l'aurait plutôt décrit comme un cabernet plein de corps, brut et intense. Les autres jours, Seth semblait si sûr de lui et rationnel qu'il lui évoquait plutôt un syrah équilibré. Mais ce soir, après ce dîner, elle penchait plutôt pour un merlot aux accents fumés.

Elle se mordit la lèvre en repensant à toutes les facettes de la personnalité insaisissable de Seth.

— Peut-être me suis-je exprimée trop vite ?

Alors qu'elle s'attendait à une réplique taquine, un silence s'installa entre Seth et elle. Un silence qu'elle ressentit dans chaque cellule de son corps, jusqu'à la pointe de ses seins, alors qu'elle sentait Seth s'approcher encore d'elle… Puis lui prendre le verre des mains.

Oh, Seigneur !

Tous ses sens étaient en alerte, son corps bouillonnait de désir et Jillian se sentait sûre d'elle comme jamais.

Elle allait aller jusqu'au bout.

Avant que Seth ne puisse réagir, elle se pressa contre son torse puissant, et, toujours à l'aveuglette, fit glisser ses mains dans son dos, devinant la peau brûlante à travers le tissu de la chemise.

Jillian inspira une grande bouffée d'air afin de se donner encore un peu de courage et de lutter contre cette soudaine sensation de vertige. Puis elle reprit la parole :

— Difficile pour moi qui n'y vois rien de décrire l'apparence, mais je dirais qu'il s'agit là d'un grand cru, murmura-t-elle en promenant ses mains le long du dos de Seth. Sa texture est plus fine que l'on pourrait le croire…

Après sa chemise, elle mourait d'envie de toucher sa peau.

Enhardie par l'obscurité, par cette dégustation déguisée, et par le fait que Seth se laissait totalement faire, Jillian tira sur la chemise et la fit sortir du pantalon de Seth. Puis lentement, elle commença à défaire ses boutons.

— Que fais-tu ? demanda-t-il d'une voix rauque.

— Avant toute chose, il faut ouvrir la bouteille et la laisser s'aérer, susurra-t-elle en écartant chaque pan de la chemise avant de se rapprocher jusqu'à ce que son nez effleure la gorge de Seth. L'arôme est la partie la plus importante.

— Et pourquoi cela ? chuchota-t-il.

Heureusement que Jillian n'avait pas besoin de réfléchir à une réponse car, à partir de cet instant, elle ne réfléchit plus et n'agit plus que sur ordre de ses sens.

— Un bon vin possède ses propres arômes distincts, et reconnaissables par rapport aux autres.

Exactement comme Seth, décida-t-elle. Elle l'aurait reconnu n'importe où, simplement par la réaction qu'avait son corps dès qu'elle sentait son parfum. Elle inspira de nouveau profondément, dans un état de transe sensorielle.

— Le nez perçoit beaucoup plus de choses que le palais,

continua-t-elle, et il est conseillé de prendre sa première gorgée tant que les arômes sont encore dans vos narines.

Elle eut envie de goûter à la peau brûlante du cou de Seth qu'elle venait de humer, mais, au dernier moment, elle se mit sur la pointe des pieds et goûta sa bouche. Au contact de ses lèvres, elle sentit des frissons la parcourir.

— Un brin relevé, une note de poivre blanc, murmura-t-elle. Ainsi qu'une sensation très suave, très riche en bouche.

— Riche en bouche ?

— Hmm, acquiesça-t-elle en promenant ses lèvres contre les siennes. Ce que l'on appelle la *bouche*, c'est la façon dont... le vin... glisse le long du palais. Par opposition au *corps* qui décrit la façon dont il accroche la langue.

Elle promena alors sa langue sur la lèvre de Seth, et se sentit défaillir. A présent, finis les taquineries, les jeux, et les leçons d'œnologie. Fort, charpenté, et sûr de lui, Seth prit son visage entre ses mains et enfouit sa langue au creux de sa bouche. Cet instant scella enfin la rencontre de leurs deux désirs en un frisson réciproque. Jillian ne pouvait plus s'arrêter de l'embrasser, savourant les mains de Seth sur son visage, ses cheveux, et — enfin ! — sur son corps.

Jillian s'accrocha aux lèvres de Seth comme si sa vie en dépendait, puis promena sa langue le long de sa mâchoire large et robuste, avant de redescendre vers son cou, jusqu'à sa pomme d'Adam.

Impudique, elle continua à descendre jusqu'à son torse recouvert d'une fine toison, puis se mit à embrasser l'un de ses tétons, tendu par le désir. Seth se laissa faire en lui caressant les cheveux, puis il sembla à Jillian qu'il murmurait quelque chose au sujet de ralentir pour savourer chaque instant. Elle remonta lentement les mains vers ses épaules et fit rouler sa chemise le long de ses bras sans la lui ôter totalement, avant de refermer les doigts sur ses biceps durs et gonflés.

Ces muscles étaient une véritable œuvre d'art, à explorer autant avec les mains, qu'avec la bouche, la langue.

Toujours aussi enhardie, elle sourit contre la peau de Seth et continua son exploration… jusqu'à ce qu'un bruit de verre brisé et un juron lui fasse lever la tête.

Elle cligna des yeux et réalisa soudain que le nœud papillon qui lui servait de bandeau avait disparu — depuis quand ? elle n'en avait aucune idée — et que Seth venait de trébucher sur la table basse. Elle comprit que Seth avait cherché à poser le verre de vin, mais que, empêtré dans sa chemise à moitié enlevée, il avait raté sa cible.

Dans un autre contexte, la situation aurait pu être comique, mais le charme était rompu, et curieusement l'ambiance lui parut soudain très sérieuse, voire terrifiante.

Jillian se redressa du haut de ses talons aiguilles et proposa sa main à Seth.

— Attends, laisse-moi t'aider.

Il accepta, et alors qu'elle libérait ses poignets des manches de sa chemise, Jillian fut soudain frappée par ce qu'elle était en train de faire avant cet incident, à savoir déshabiller Seth, goûter à sa chair, le séduire.

Mais à présent ?

Face à face, ils se jaugeaient en silence, tous deux conscients qu'ils devaient dès lors passer à l'étape supérieure sans les artifices d'un bandeau sur les yeux ou d'un jeu, aussi excitant soit-il. Le cœur de Jillian battait à tout rompre, et elle eut soudain les jambes en coton. Elle se laissa tomber sur le canapé en cuir, et saisit la bouteille de pinot noir Casinelli 1999 qui était toujours sur la table basse.

— J'avais donc deviné, finit-elle par articuler après un long silence.

— Tu étais sûre de toi, n'est-ce pas ?

— Absolument !

Le cœur de Jillian s'emballa de nouveau lorsque le pantalon noir de Seth revint dans son champ de vision. Il se planta devant elle, lui prit la bouteille des mains et la reposa sur la table.

— A mon tour maintenant, murmura-t-il.

Elle leva les yeux et son regard se posa sur les cuisses de Seth, si près d'elle, si larges et imposantes.

Une onde de chaleur l'envahit tout entière.

— Ton tour ? articula-t-elle péniblement.

— A mon tour de te déguster.

Tous les sens en émoi, Jillian mourait d'envie de se laisser faire, de s'abandonner à ses caresses et à ses baisers. Mais elle eut soudain l'impression qu'elle en était incapable, comme si une force en elle la retenait. Comme si le moment de vérité était arrivé.

— C'était plus facile lorsque je n'y voyais rien, mais à présent je tremble, avoua-t-elle d'une voix hésitante. Toutes ces choses que tu m'as dites l'autre jour…

— Jillian, je n'ai pas voulu t'effrayer…

— Non, ce n'est pas pour cela que je tremble…

— Quoi alors ?

Elle inspira profondément avant de répondre.

— Je crains de ne pas être à la hauteur de ce que tu t'étais imaginé. J'ai peur de te décevoir.

Il la dévisagea pendant un long moment. Puis délicatement, il la prit par la main et le fit se lever.

— Cela n'est pas près d'arriver, ma jolie.

— Qu'en sais-tu ?

— Je le sais, affirma-t-il d'une voix sans ambiguïté. Tu viens toi-même de constater l'effet que tu me faisais.

Elle inspira une grande bouffée d'air.

— Veux-tu que nous montions dans ta chambre ?

— Tu es sûre de vouloir ?

Faisant taire sa mauvaise conscience, elle hocha la tête, et aperçut une lueur brûlante scintiller dans le regard de Seth.

Il la prit par la main et s'engagea dans l'escalier menant à l'étage. Mais il se retourna brusquement et gagna la table du salon, et s'empara de la bouteille de Casinelli ouverte.

— Tu m'as bien dit que tu détestais le gaspillage ? dit-il en la rejoignant d'un pas assuré.

10.

En rejoignant Jillian dans l'escalier, Seth se demanda s'il n'était pas encore temps d'oublier un instant ses pulsions pour lui faire part de ses doutes.

Mais l'élan qui le poussait inéluctablement vers Jillian le consumait depuis trop longtemps. Et malgré l'appréhension qu'il venait de déceler au fond de ses grands yeux verts, Seth se sentait porté vers elle par une force à laquelle il ne pouvait échapper. Une force qui dépassait de loin le simple désir physique, et lui donnait envie d'effacer tous les doutes et les craintes qu'elle pouvait avoir.

Tant pis s'il n'avait plus la force de faire marche arrière.

Arrivé à l'étage, il ouvrit la porte de sa chambre en serrant la bouteille de vin dans sa main. Ce vin qui était au cœur de l'expérience sensuelle qu'ils étaient en train de vivre, et qui lui donnait envie de rendre Jillian au moins aussi folle de désir qu'elle ne venait de le rendre avec sa petite dégustation particulière dans le salon.

Comment pouvait-elle encore craindre de le décevoir ?

Il lui prit la main et l'entraîna jusqu'à son lit. Après avoir posé la bouteille sur la table de chevet, il alluma la lampe en se maudissant de ne pas avoir de bougies à portée de main. Il avait hésité à en acheter en prévision de l'éventuelle venue de Jillian, et s'était ravisé, craignant qu'elle ne s'imagine qu'il n'ait préparé son plan de séduction à l'avance.

— Tu as oublié les verres, remarqua-t-elle.

Il se tourna vers elle, et le fait de voir Jillian dans sa chambre raviva soudain son excitation. Tant pis pour les bougies et l'ambiance tamisée. Il garderait la lumière allumée, espérant que Jillian accepte de le laisser regarder la moindre de ses expressions, le moindre de ses frémissements alors qu'il s'appliquerait à lui démontrer qu'elle n'avait aucune raison de craindre de le décevoir.

— Pas besoin de verres, rétorqua-t-il d'une voix rauque.

Devant son regard surpris, il ajouta :

— Rassure-toi, je n'ai pas l'intention de le gâcher. Mais de le goûter, de le déguster… Sur ton corps.

Oh, oui, voilà exactement ce qu'il désirait : voir les grands yeux de Jillian s'écarquiller, et la pointe de sa langue humecter ses lèvres. Il voulait voir la pointe de ses seins se tendre sous la robe de soie rouge…

— Je t'ai bien dit que c'était mon tour à présent, murmura-t-il en se rapprochant d'elle. A moi de te déguster !

Une veine pulsait frénétiquement au creux de la gorge de Jillian, ce qui émoustilla Seth au plus haut point.

— Tout à l'heure, tu disais que c'était plus facile pour toi dans le noir, continua-t-il. Veux-tu que je te bande de nouveau les yeux ?

Elle poussa un languissant soupir.

— Non… Je veux pouvoir te voir, articula-t-elle.

Seigneur ! Avait-il bien entendu ? S'il se fiait au regard provocant de Jillian, oui. A l'idée qu'elle le regarde poser ses mains et promener ses lèvres sur sa peau dénudée, son corps la réclama violemment, avec une avidité qu'il n'avait encore jamais connue.

— Parfait ! susurra-t-il. Je veux que tu n'oublies à aucun moment qui je suis et pourquoi je te fais ça…

A ces mots, il repoussa une des boucles rebelles de Jillian derrière une oreille, compensant avec ce geste tendre la violence du désir qui embrasait chaque cellule de son corps.

— Je te reconnaîtrais entre tous, Seth. Même dans le noir.

Il sentit un frisson d'excitation le parcourir. Il s'efforça de se souvenir que tout ceci n'était que purement sexuel, qu'il ne pouvait s'agir que d'une aventure d'un soir. Et tenta d'oublier ce nœud dans sa gorge, et ce besoin de serrer Jillian très fort contre son cœur qui battait la chamade.

Il devait absolument détendre l'atmosphère et recréer l'ambiance rieuse et coquine que Jillian avait réussi à établir quelques minutes plus tôt, dans le salon. Il lui caressa une joue et fit glisser un doigt sur sa lèvre.

— C'est vrai que tu es la reine de la dégustation… Tu es capable de reconnaître n'importe quel vin les yeux fermés.

— Pas n'importe quel vin, chuchota-t-elle. Seulement les plus raffinés.

Son souffle chaud effleura les doigts de Seth.

— Alors, suis-je plutôt un de ces pinots raffinés ou un simple rouge banal ?

— Peut-être es-tu encore au-dessus de ce genre de classification…, murmura-t-elle dans un demi-sourire.

— Seth Bennedict, millésime 1967, enchanté !

Jillian ne semblait plus l'écouter, lorgnant plutôt sur son torse dénudé. Son regard était chaud, caressant, et plus provocant que jamais.

Une nouvelle salve de désir submergea Seth. Un désir primaire, animal, si puissant qu'il eut soudain l'impression de manquer d'air.

— Embrasse-moi, Seth…, chuchota-t-elle.

Avant même qu'elle n'ait fini sa dernière syllabe, il se jeta sur elle. Jillian entrouvrit immédiatement ses lèvres et émit un petit gémissement de satisfaction qui manqua de le faire défaillir. Aussi avides qu'agiles, les mains de Jillian lui entourèrent la nuque et se perdirent dans ses cheveux, tandis qu'il faisait glisser les siennes le long de son dos nu, empoignant fébrilement ses fesses. Elle se laissa faire, au rythme de leur baiser, et bientôt leurs corps furent enfin l'un contre l'autre.

Ivre de désir, il remonta les plis de soie de la robe vers le haut, jusqu'à sentir la peau soyeuse sous ses doigts. Il tressaillit soudain. Elle ne portait qu'un minuscule string, qui ne laissait rien ignorer de la rondeur voluptueuse de ses fesses.

Seth se dégagea légèrement, laissa la robe retomber et remonta les mains le long de son dos, de ses épaules, et de la courbe élancée de sa nuque. Il devait absolument ralentir le rythme et retrouver un peu de lucidité, afin de reprendre le petit jeu de dégustation que Jillian avait initié en bas.

Elle tenta de passer ses mains autour de lui, mais il l'intercepta.

— Attends un peu… Je t'ai dit que c'était mon tour à présent, murmura-t-il en faisant doucement glisser les bretelles de sa robe sur ses épaules.

Jillian retint la robe de tomber à ses pieds en l'agrippant à sa poitrine. Les yeux plongés dans les siens, Seth écarta lentement les mains de Jillian de la robe, la laissant ainsi glisser langoureusement le long de son corps jusqu'à terre.

— Je veux te voir tout entière, Jillian.

Seigneur, elle était encore plus belle qu'il ne l'avait imaginé ! C'était une véritable déesse, fière, élancée, debout au-dessus d'une flaque de satin rouge, vêtue seulement de ce minuscule string. Seth demeura un instant immobile, soucieux d'imprégner sa mémoire de cette image sublime, mais Jillian se mit à trembler. De nouveau, il sentit en elle cette vulnérabilité, cette fragilité qui le mettait dans tous ses états.

Il se rapprocha d'elle et la serra contre lui jusqu'à ce qu'elle arrête de trembler. Il avait envie de lui dire à quel point elle était belle, mais sa voix et ses mots se noyèrent dans la marée de sensations et d'émotions qui était en train de le submerger.

Des sensations et des émotions qu'il était incapable de définir avec des mots.

Il lui embrassa une tempe, un sourcil, le bout du nez… Lorsqu'il effleura son cou, elle émit un petit gémissement félin et se blottit contre lui, comme si c'était la chose la plus naturelle, la plus évidente au monde.

Seth comprit alors que ce qu'il avait d'abord interprété comme de l'appréhension n'était peut-être que le signe d'une intense excitation.

Jillian laissa de nouveau échapper cette sorte de ronronnement sensuel qui résonna dans la moindre cellule du corps de Seth. Au même moment, une drôle de tension quelque part au fond de son cœur lui apporta la certitude que tout allait bien se passer.

Il lui mordilla doucement le lobe de l'oreille et Jillian étira son cou, l'invitant à poursuivre son exploration sur les zones les plus sensibles de sa peau. Seth ne se fit pas prier et referma ses lèvres sur sa peau, se laissant aller à suçoter chaque parcelle avec une délectation primitive. Comme pour l'encourager à continuer, Jillian se cambra et colla ainsi ses seins dénudés contre lui.

A cet instant, Seth se demanda qui était censé torturer qui au cours de ce petit prélude des sens. Lentement, il la fit pivoter, et entreprit de déposer des baisers sur sa nuque, avant de descendre le long de sa colonne vertébrale.

— Laisse-moi te *déguste*r, Jillian, murmura-t-il alors d'une voix rauque.

Très vite, il se retrouva à genoux, embrassant la courbe délicate de ses fesses et l'arrière de ses cuisses.

— J'attends cet instant depuis si longtemps, reprit-il en promenant ses mains le long de ses jambes interminables.

Puis il posa les lèvres derrière ses genoux et remonta à l'intérieur de ses cuisses.

Il s'entendait respirer de façon saccadée, dévoré de désir, alors qu'il faisait délicatement glisser le string de Jillian à terre. Maintenant qu'elle était entièrement nue, il ne pouvait détacher son regard de ce corps si parfait, si désirable. Jillian était debout devant lui, offerte, en une posture des plus érotiques qu'il n'ait jamais imaginée. Lentement, sans la quitter des yeux, Seth glissa sa main entre ses cuisses, atteignant à présent sa toison brune. Jillian était si sexy…

— Je veux te goûter, Jillian, te déguster tout entière, susurra-t-il en l'allongeant sur le lit.

En un instant, elle se trouva là, étendue sur son lit, offerte et belle comme jamais.

— Je suis à toi…, murmura-t-elle dans un soupir.

A ces mots, Seth sentit les quelques scrupules qui le freinaient encore s'évaporer. Jillian serra les draps du lit entre ses doigts alors qu'il caressait son entrejambe si doux, si soyeux, palpitant de désir. Alors, Seth referma ses lèvres sur le sexe de Jillian, et, goûtant enfin à son intimité, il l'entendit haleter alors que son corps tout entier se cambrait pour accompagner son geste. Il accentua la pression et prolongea sa caresse durant de longs et exquis instants, la sentant se rapprocher de l'extase. Bientôt, Jillian explosa de plaisir entre ses lèvres.

Seth brûlait d'envie de prolonger son plaisir, mais il eut beaucoup de mal à contrôler ses propres pulsions alors que le goût si subtil de Jillian envahissait son corps tout entier. Il s'allongea à son côté, en silence.

— C'était…, murmura-t-elle avec un soupir, tout en lui caressant le bras du bout des doigts.

Son corps à lui bouillonnait d'un désir si dévorant que Seth sut qu'il ne pourrait se contenter très longtemps de ce genre de caresse trop douce.

— Enfin, je… Je n'avais jamais…, bafouilla-t-elle.

De nouveau, elle ne put terminer sa phrase. Mais Seth était à présent intrigué. Il s'accouda sur un bras et, découvrant le visage désorienté de Jillian, son cœur se mit à battre à tout rompre.

— Tu n'as jamais quoi ?

Elle le regarda en rougissant et il prit son visage entre ses mains.

— Jillian, parle-moi…, la supplia-t-il.

— Je n'ai jamais connu l'orgasme…, fit-elle avant de se mordre la lèvre.

— Mais… Tu as pourtant été mariée…

Il s'interrompit aussitôt. Que faisait-il ? Pourquoi invitait-il soudain Jason dans son lit ?

— Oui, pendant cinq ans, reprit Jillian en soupirant. Es-tu vraiment surpris de découvrir que ton frère était aussi égoïste au lit que dans la vie de tous les jours ?

Un silence gêné s'installa entre eux. Non, Seth n'était pas surpris. Ce qui le prenait de court en revanche, c'était de se dire qu'il venait d'offrir à cette femme une chose qu'aucun autre homme ne lui avait jusque-là offert.

Jillian tourna la tête de l'autre côté de l'oreiller, parut réfléchir un instant, puis le regarda de nouveau.

— Désolée d'avoir mentionné un autre homme alors que je suis dans ton lit, dit-elle d'une voix sincère.

— Ne t'inquiète pas.

La façon dont elle le fixait à présent eut le curieux effet de nouer subitement la gorge de Seth.

— Puis-je… te caresser ? demanda-t-elle soudain en se passant la langue sur les lèvres d'une manière qui le fit chanceler de désir.

Sans attendre sa réponse, Jillian promena une main le long de son torse et de son ventre, avant de glisser les doigts sous sa ceinture.

— Laisse-moi faire, chuchota-t-elle.

Il l'embrassa de nouveau sur la bouche, et Jillian se colla à lui, tout en touchant son entrejambe à travers son pantalon. Ces longs doigts fins lui prodiguaient une exquise torture à laquelle il s'abandonna volontiers. Puis, en proie à un désir de plus en plus pressant, il la supplia, à bout de souffle :

— Déshabille-moi, Jillian…

Or une fois qu'elle eut détaché sa ceinture sans le quitter des yeux, Seth fut saisi d'une sensation contradictoire.

D'un côté il voulait prendre le temps de sentir les lèvres de Jillian sur les siennes, la caresse humide de sa langue, celle de ses cheveux contre son ventre et ses cuisses… De l'autre, il brûlait d'envie de s'enfouir au plus profond d'elle sans plus attendre. Jamais il ne s'était senti aussi esclave de son désir.

Elle s'apprêtait à promener sa langue sur son bas-ventre, mais il l'interrompit en douceur et s'entendit dire :

— Plus tard, ma belle… Tu pourras me déguster autant que tu veux plus tard, mais je n'en peux plus, j'ai trop envie de toi…

En quelques secondes à peine, il finit d'ôter son pantalon et attrapa un préservatif dans le tiroir de sa table de chevet. Il embrassa Jillian en se promettant que plus tard, il lui laisserait tout le loisir de déguster le moindre recoin de son corps, et qu'il ne manquerait pas non plus de verser le vin sur sa poitrine et sur son ventre afin de le lécher jusqu'à la dernière goutte.

Mais c'était pour plus tard.

Pour l'heure, ils entremêlèrent leurs corps en des gestes avides et impatients. Seth dévora de nouveau sa bouche, sa gorge, ses seins, alors que Jillian se cambrait et s'agrippait à lui de toutes ses forces. Il laissa glisser sa main vers le centre de son désir et il entendit Jillian murmurer quelque chose entre ses lèvres. Quoi qu'elle ait tenté de lui dire, il comprit que cela signifiait : *Je suis prête, prends-moi.*

— Cela fait trop longtemps que j'attendais ça, murmura-t-il au creux de son oreille, alors que Jillian enroulait ses jambes autour de sa taille.

Il pénétra enfin dans sa chaleur à la fois douce et brûlante... Seth ressentit un plaisir si violent, son cœur battait si fort, qu'il crut un instant défaillir. Il n'osa plus bouger, de peur de briser cet instant de magie, mais Jillian, elle, se mit à onduler des hanches.

Ses jambes s'agrippèrent à lui comme si sa vie en dépendait. Il n'en fallut pas plus à Seth pour qu'il se mette alors à bouger en elle. Les yeux grands ouverts, ne voulant rien rater du spectacle de Jillian l'invitant ainsi au plus profond d'elle, il fut bientôt saisi d'un vertige. Lentement, langoureusement, elle se déhanchait sous lui, l'entraînant dans une danse sensuelle à laquelle il ne pouvait que céder. Sa peau luisait dans la lueur de la lampe, et cette femme qu'il désirait depuis plus de sept ans le regardait droit dans les yeux, lui exposant impudiquement son plaisir.

Alors que l'ombre de leurs deux corps imbriqués se projetait sensuellement contre le mur, Seth fut soudain saisi du plus puissant orgasme qu'il ait jamais connu. Il donna un dernier coup de reins dans la chaleur bienveillante de Jillian avant de s'affaler sur elle, repus, rassasié comme jamais.

*
* *

Lorsque Jillian rouvrit les yeux, l'aube pointait à travers les lamelles des stores de la chambre, projetant des rais de lumière pâle sur la descente de lit, les draps, et l'homme qui dormait à son côté. Elle resta figée un bref instant, le temps de se souvenir de la situation. Son cœur en tout cas battait déjà trop vite.

Lentement, elle se tourna sur le côté, remontant sans y penser le drap sur son corps dénudé avant de refermer les yeux. Elle soupira. Elle était ridicule de chercher à échapper ainsi à la réalité de ce qu'elle avait fait cette nuit. Cette nuit avec *Seth.*

Elle rouvrit les yeux subitement. Seigneur, avait-elle *réellement* fait l'amour avec lui ? Une onde de panique accéléra un peu plus les battements de son cœur déjà affolé.

Non, ils n'avaient pas *fait l'amour.* Ils avaient juste couché ensemble. Ce n'était que du sexe. C'était ce qu'ils avaient décidé tous les deux. Elle ne pouvait plus se permettre de confondre désir et amour. Pas avec Seth.

Elle chercha machinalement son alliance, mais son annulaire était à présent nu. Et son cœur battait toujours la chamade.

Elle éprouva alors un besoin urgent de mettre de la distance entre elle et cet homme, et de prendre du recul par rapport aux étranges pensées qui l'assaillaient. Elle se leva en silence du lit, mais trébucha sur une chaussure, et manqua de renverser la bouteille de Casinelli qui se trouvait sur la table de chevet.

Elle proféra un juron à mi-voix, priant pour ne pas avoir réveillé Seth, et se rassit sur le lit. Soudain, elle revit l'image de Seth en train de verser quelques gouttes de vin sur sa peau avant de la lécher…

Derrière elle, elle entendit les draps remuer. Elle se sentit envahie par une angoisse irrépressible. Comment diable était-elle censée gérer le lendemain d'une nuit d'intense débauche sexuelle ?

Elle retint son souffle et regarda par-dessus son épaule. Seth dormait toujours, sur le ventre, les bras autour d'un oreiller.

Jillian dut faire un effort surhumain pour ne pas ôter l'oreiller et prendre sa place dans les bras de Seth… Ou encore pour ne pas embrasser la petite fossette qu'il avait au coin de la bouche…

Non, se morigéna-t-elle, ce n'était pas raisonnable. Elle devait être forte…

Tout en douceur, elle ramassa ses vêtements et quitta la chambre pour la salle de bains. Elle s'y rhabilla en vitesse, téléphona à Mercedes pour qu'elle vienne la chercher, et quitta la maison à pas de velours.

11.

Jillian n'était guère habituée à ce genre de situations, mais si la nuit qu'elle avait passée avec Seth avait signifié quelque chose pour lui, elle supposait qu'il allait l'appeler. Au moins pour lui demander des explications sur les raisons de son départ en douce au petit matin.

Au lieu de cela, elle dut attendre le lundi suivant pour avoir des nouvelles. Seth avait téléphoné dans la matinée pendant qu'elle faisait une balade à cheval, et Eli lui avait griffonné un message sur son bureau : *SB en déplacement aujourd'hui — Il t'envoie un certain Lou qui attendra ton feu vert pour finaliser le parquet.*

Le message était on ne peut plus clair : Seth et elle revenaient à une relation strictement professionnelle. Peut-être même l'évitait-il en envoyant ce Lou faire son travail.

Or lorsque Jillian arriva au chai de Louret le lendemain matin et qu'elle aperçut le 4x4 de Seth, sa gorge se noua et elle ressentit un vif pincement au cœur. Pourtant, ce n'était pas comme s'ils allaient se retrouver en tête à tête. Le parking était déjà occupé par de nombreux véhicules de fournisseurs.

Elle claqua la portière en se trouvant pathétique. Elle chercha à retrouver une respiration normale et se souvint avec nostalgie de l'époque pas si lointaine où elle parvenait à dissimuler ses émotions derrière une façade distante et pondérée.

Ne te laisse pas envahir par des sentiments incontrôlables et dont tu ne sais où ils peuvent te mener, Jillian. Concentre-toi sur l'essentiel : ta carrière, le vin, ta famille.

Elle ajusta les plis de son tailleur et se dirigea vers la porte d'entrée. Hier, un sous-traitant de Seth avait posé le parquet... avec la mauvaise teinte. Car malgré le message de Seth, elle n'était venue vérifier qu'en fin de journée, une fois que les ouvriers étaient partis.

Lorsqu'elle poussa la porte, elle se retrouva dans un chaos d'outils, de bourdonnements et de poussière. Le parquet était à moitié enlevé. En un instant, ses yeux se posèrent sur la silhouette de Seth. Elle l'aurait reconnu entre tous, même dans le noir... Elle sentit ses joues s'enflammer au souvenir du corps athlétique et dénudé qu'elle avait serré entre ses bras, quelques jours plus tôt.

Saisie d'une sensation de lâcheté, elle eut la tentation de tourner les talons. Mais c'est alors que Seth l'aperçut et que leurs yeux se croisèrent par-dessus les gravats du chantier. Jillian ressentit alors la même chose que lorsqu'elle était allée lui rendre visite, deux semaines plus tôt, à la *Villa Firenze*. Pourtant, tant de choses s'étaient passées depuis ! Tant de choses avaient changé.

Incapable de faire un geste, elle vit Seth approcher d'elle, l'air réservé et la mâchoire serrée, et, une fois qu'il fut face à elle, elle ne sut quoi dire. Aucun mot ne semblait vouloir sortir de sa bouche : ni un poli « Bonjour, comment vas-tu ? », ni un coquin « Tiens, tu semble avoir repris ton souffle depuis la dernière fois ! », ni un mesquin « Contente que tu aies pu te déplacer jusqu'ici aujourd'hui ! » Au lieu de cela, elle désigna de la main les gravats autour d'eux et demanda :

— Tu es en train de refaire le parquet ?

— Oui, ce n'était pas ce dont j'étais convenu avec toi.

Aussitôt, elle eut l'impression qu'il lui parlait de ce qui s'était passé entre eux et elle se sentit rougir, avant de comprendre qu'il parlait du parquet.

Troublée, Jillian parvint néanmoins à articuler :

— Si tu n'avais pas confié ton travail à Lou, hier, peut-être n'en serions-nous pas là aujourd'hui…

Il la regarda dans les yeux, visiblement piqué au vif.

— Je ne peux être à deux endroits en même temps, Jillian. C'est pourquoi je t'avais demandé de t'assurer que Lou opérait bien comme nous l'avions décidé.

Comprenant au ton de Seth qu'elle était allée trop loin, Jillian se mordit la lèvre.

— Et je m'excuse de ne pas l'avoir fait. Mais tu aurais peut-être pu m'en parler directement si tu te doutais que ton remplacement par Lou pourrait poser un problème.

— Je ne me doutais de rien, répondit-il en hochant la tête. Je devais juste me rendre en ville pour régler une affaire.

Et dire qu'elle avait cru qu'il s'était servi de Lou pour éviter de la revoir… Alors qu'il n'avait fait que son travail.

— Sais-tu quand les fenêtres seront prêtes ? demanda-t-elle alors, pressée de changer de sujet.

— Le menuisier m'a promis qu'il les livrerait la semaine prochaine.

— Hmm… Cela risque d'être juste…, marmonna-t-elle en fronçant les sourcils.

— Juste ?

— Oui, pour la fête que nous organisons le premier mai. Penses-tu que les travaux seront finis ?

Les mains sur les hanches, Seth la dévisagea, l'air agacé.

— Ne crois-tu pas que tu aurais peut-être dû me poser cette question *avant* d'envoyer tes invitations ?

— Mais tu m'avais dit que les travaux ne prendraient pas plus de deux semaines !

— C'était une estimation…, répliqua-t-il en secouant la tête. Sauf qu'à présent, avec le parquet à refaire…

Seth Bennedict, l'homme qu'elle avait toujours considéré comme calme, posé et à la tête froide — enfin jusqu'à samedi soir, où il lui avait montré une facette beaucoup plus fougueuse de sa personnalité — était en train de perdre patience.

— Qu'est-ce qui te gêne vraiment, Seth ? demanda-t-elle en prenant soin d'articuler chaque mot. Le fait que ton remplaçant n'ait pas suivi tes instructions ? Le fait que je n'aie pas vérifié son travail ? Ou bien y a-t-il autre chose ?

Il se figea un instant avant de se frotter la nuque. Puis il poussa un long soupir et fusilla Jillian du regard.

— Pourquoi t'es-tu enfuie à la sauvette, l'autre nuit ? Je pouvais très bien te raccompagner chez toi !

Jillian se sentit déconcertée. Elle s'était bien doutée que sa mauvaise humeur n'était pas seulement liée aux problèmes du chantier, mais elle ne s'attendait pas à ce que Seth perde son sang-froid et attache tant d'importance à ce détail.

— Je suis désolée, répondit-elle très sincèrement. Je n'imaginais pas que cela te poserait un problème.

— Ce n'est pas un problème. C'est juste que j'en fais une question de galanterie, rétorqua-t-il d'un ton agacé.

— Ecoute, Seth, je n'avais aucune idée de ce que j'étais censée faire en pareille circonstance, poursuivit-elle en se redressant pour lui faire face. Je n'avais auparavant jamais eu d'aventure sans lendemain et, pour être honnête, je suis partie parce que je me doutais que nous finirions par être mal à l'aise… comme nous le sommes en ce moment.

Il la dévisagea, l'air incrédule.

— Une aventure sans lendemain !… C'est ce que tu penses que nous avons eu ?

— C'est en tout cas ce que tu m'as dit vouloir : du sexe,

mais aucune relation sérieuse… Serais-tu en train de me dire que tu as changé d'avis ?

Leurs regards se croisèrent et Seth vit toute la confusion qui embuait les yeux de Jillian. Seigneur, il ne savait plus ce qu'il disait… Certes il savait bien que les choses entre eux avaient effectivement changé, or la vérité demeurait immuable.

— Je ne peux construire une relation sérieuse avec toi, Jillian, pas plus que je ne peux me contenter d'une relation purement sexuelle, reprit-il. Il y a tant de choses entre nous… le passé, et toutes ses complications…

— Tu veux parler de Jason et Karen ?

L'espace d'un instant, il crut que Jillian était au courant de la liaison qu'avaient entretenue son frère et Karen. Mais il comprit aussitôt qu'elle ne voulait parler que de leur mort simultanée.

— Ils seront toujours là, quelque part entre nous, soupira-t-il. Voilà pourquoi je ne peux pas construire une relation avec toi.

— Cela ne t'a pas empêché de coucher avec moi.

— Je n'ai pas dit que je ne te désirais pas. Cela, en revanche, n'a jamais changé.

Il se demanda alors si un jour il finirait par pouvoir regarder Jillian sans être envahi de ce désir dévorant.

Il serra les poings. Comme il était difficile de soutenir le regard de Jillian en cet instant, un regard empreint de confusion, de questions et de besoin d'explications… Mais Seth devait être fort, il devait s'efforcer de penser à autre chose.

— Je dois me remettre au travail, finit-il par dire, en désignant d'un signe de tête les ouvriers qui l'attendaient.

— Peut-on reparler de tout cela plus tard ?

— Il n'y a plus rien à en dire, Jillian.

Elle cligna des paupières, sans doute surprise par sa façon abrupte de résumer les choses, et Seth s'en voulut d'avoir été aussi maladroit. Il avait pourtant tellement envie de la toucher, de la serrer contre lui, de sentir la chaleur de sa peau contre la sienne…

Jillian contracta ses épaules et hocha la tête.

— D'accord, mais tu as toujours été honnête avec moi et je te dois la pareille, reprit-elle. Pour moi, ce qui s'est passé samedi soir n'avait rien d'anodin… C'était quelque chose d'intense, d'incroyable. Et c'est arrivé entre *toi* et *moi*, Seth. Il n'y avait personne d'autre que toi et moi dans ce lit, et aucun fantôme du passé, quel qu'il soit.

Elle prononça ces mots sans le quitter du regard, puis l'air très digne, elle tourna les talons et s'éloigna.

Tu as toujours été honnête avec moi.

Seth se serait bien passé de l'adjectif *honnête*… D'une part, parce qu'il n'avait pas été entièrement honnête envers lui-même, mais surtout parce qu'il ne l'avait pas été non plus envers Jillian. Et il était trop tard pour y changer quoi que ce soit à présent. Voilà deux ans qu'il avait manqué sa chance.

Arrêtée à un feu rouge, Jillian ferma les paupières et laissa son esprit vagabonder. Elle avait essayé de se distraire en se plongeant à corps perdu dans les préparatifs de la fête, mais à présent que tout était prêt, elle devait bien affronter la réalité. Et la réalité, c'était que Seth avait raison. Depuis le début, elle savait que le passé qu'ils avaient en commun compliquait les choses entre eux. Et qu'elle soit partie en douce ou non de chez lui dimanche matin ne changeait rien à cela.

Elle n'avait pas revu Seth, et n'arrivait pas à décider si elle en était réjouie ou attristée. En attendant, elle passait son temps à se demander si elle allait le voir, et à constater qu'elle en avait effectivement très envie. Dire que la rénovation de la salle de dégustation était censée l'aider à retrouver confiance en elle ! songea-t-elle. Et non à la transformer en cette espèce de chiffe molle alanguie et amoureuse…

Amoureuse ?

D'où lui était donc venue cette idée, elle qui éprouvait le plus grand mal à discerner un simple désir physique — ô combien troublant et intense — du sentiment profond et durable de l'amour ?

Certes, elle appréciait la compagnie de Seth, elle lui faisait confiance, elle l'admirait en tant qu'homme et en tant que père, et elle avait adoré la façon dont il lui avait permis de se sentir femme entre ses bras, l'autre soir. Mais à ce stade, elle n'était tout simplement pas prête à s'engager dans une relation.

Des klaxons derrière elle la tirèrent de sa rêverie, et elle redémarra. Elle s'engagea dans une rue animée, et, tout en cherchant une place pour se garer, elle ne put s'empêcher de regarder si elle n'y voyait pas de 4x4 bleu. Elle savait que Seth habitait dans le quartier… Et lorsqu'elle s'aperçut qu'il n'était nulle part, Jillian se rendit compte qu'elle avait la gorge nouée rien qu'à l'idée de le croiser.

Après avoir finalement trouvé une place, Jillian sortit de sa voiture, et, l'esprit toujours occupé par Seth, se mit en quête d'un fleuriste chez qui elle pourrait commander les fleurs pour la fête. Distraite, elle heurta une femme au coin de la rue. Elle s'apprêtait à se confondre en excuses lorsqu'elle reconnut la jeune femme.

— Charlotte ? Quelle surprise, bonjour !

Le jour où elle était allée rendre visite à ses demi-sœurs, Jillian avait senti une affinité toute particulière avec leur cousine. *Sa* cousine. Charlotte semblait également ravie de la revoir, et Jillian regretta soudain d'avoir été trop obnubilée par Seth et les travaux à Louret pour ne pas approfondir le lien fragile qu'elle avait réussi à établir avec cette partie jusque-là inconnue de sa famille.

— Si vous en avez fini avec vos emplettes, proposa-t-elle en désignant les nombreux sacs que Charlotte transportait, auriez-vous le temps de prendre un café avec moi ?

— Seulement si tu promets de me tutoyer !

— C'est d'accord ! On pourrait aller chez *Enzo*, suggéra-t-elle.

Alors qu'elles se dirigeaient vers le café, Jillian se demanda comment entamer la conversation.

— Je suis moi aussi venue faire quelques emplettes, expliqua-t-elle à Charlotte. Je cherche un bon fleuriste.

— Je peux peut-être t'aider... Je suis la responsable des compositions florales pour la *Villa Ashton*.

— Tu es fleuriste ? s'étonna Jillian avec un sourire réjoui. Dans ce cas, je veux bien te demander un ou deux conseils. En échange d'un café, évidemment !

En regagnant sa voiture, Jillian ne pouvait se sortir de l'esprit les révélations que venait de lui faire sa cousine. Elles avaient d'abord parlé de fleurs, et Charlotte avait recommandé à Jillian deux fleuristes réputés pour leur créativité. Jillian avait un instant songé à proposer la mission à Charlotte, mais elle avait préféré ne rien précipiter tant que les litiges entre leurs deux familles n'étaient pas réglés.

Comme si elle avait pu lire dans ses pensées, Charlotte avait alors aiguillé la conversation sur leurs problèmes de famille. Elle lui avait appris que Spencer et Lilah l'avaient recueillie, ainsi que son frère Walker, après que leurs parents eurent trouvé la mort dans un accident de voiture. Mais Charlotte avait aussitôt confié à Jillian qu'elle avait des raisons de croire que sa mère avait survécu.

— Spencer a si souvent menti et manipulé les gens pour son propre intérêt, qui sait ce qu'il nous cache encore ! avait conclu Charlotte, qui disait ne se fier pour l'instant qu'à son intuition.

Jillian s'était contentée d'acquiescer, sans commentaire.

A présent qu'elle était seule, elle ne pouvait s'empêcher de songer aux analogies entre Spencer et Jason. Mensonges et impostures étaient aussi des spécialités de Jason. Le père biologique de Jillian et son défunt mari faisaient en quelque sorte partie de la même espèce… Aux antipodes de Lucas et Seth.

Le cœur de Jillian fit un bond contre sa poitrine. Pas étonnant qu'elle se soit si facilement laissée entraîner dans cette non-relation avec Seth…

Auprès de lui, elle avait confiance en elle, en tant que personne, en tant que professionnelle, en tant que femme. Seth l'avait poussée à l'action alors qu'elle tergiversait au sujet d'Anna Sheridan. Il avait compris quelles étaient ses motivations au sujet de la rénovation de la salle de dégustation, ainsi que la façon dont elle entendait la faire fonctionner.

Mais, plus que tout, Jillian avait confiance en lui.

Elle aimait sa façon franche et directe de dire les choses — même si c'étaient des choses blessantes, il ne la laissait pas se nourrir de faux espoirs — ainsi que son côté protecteur. Elle savait que Seth n'aurait jamais rien fait qui puisse la blesser. De plus, c'était quelqu'un d'honnête : jamais il ne lui aurait menti.

Le problème était que Jillian n'avait aucune idée d'où tout cela allait la mener. Si seulement elle avait le courage de suivre son instinct et de prendre des risques. Si seulement il n'y avait pas le passé, ni Jason, ni Karen, entre eux.

Et si, et si, et si…

*
* *

Durant la semaine qui suivit, Seth ne put éviter de voir Jillian. Ils étaient chaque jour en contact étroit pour suivre le chantier de la salle de dégustation. Comme il détestait ces échanges formels, polis, alors qu'ils s'efforçaient tous deux d'ignorer la tension sexuelle qui passait entre eux !

Seth continuait de désirer Jillian plus que jamais, nuit et jour, au travail, à la maison… D'autant qu'il n'avait pas manqué de remarquer dans ses yeux à elle, lors de leurs brèves entrevues, cette même envie, ce même désir qui le rongeait de l'intérieur. Dans ces moments-là, il savait qu'il n'avait qu'un pas à faire vers elle. Un pas, un geste, et ils succomberaient de nouveau à cette force irrésistible qui les attirait l'un vers l'autre.

D'une certaine façon, il s'étonna d'avoir tenu le coup jusqu'au samedi après-midi, où il la chercha pour lui dire qu'il avait fini son travail, et qu'il ne restait plus qu'à attendre que le menuisier livre les fenêtres. Il la trouva en train de travailler à la cave, et ils restèrent un long moment figés face à face, le regard fuyant.

N'y tenant plus, Seth décida de mettre un terme à cette inconfortable politesse qui s'était installée entre eux.

— A propos de mardi matin, commença-t-il. Et de ce que je t'ai dit au sujet d'une éventuelle relation entre nous…

— Ne t'inquiète pas, l'interrompit-elle d'une voix nerveuse. Ce n'est pas le bon moment pour débuter une relation, ni pour toi ni pour moi. Je commence à peine à remonter la pente. Tu sais, mon travail, la nouvelle salle de dégustation, ce que j'ai envie d'accomplir à Louret… Tiens, d'ailleurs j'ai décidé de produire mon vin. Mon propre vin.

Seth aurait dû la féliciter : n'était-ce pas ce qu'il avait envie d'entendre ? Mais il resta sur la réserve.

— Tu as intérêt à m'en envoyer une bouteille !

— La toute première sera pour toi, promis !

Il acquiesça en se demandant s'ils auraient l'occasion de la déguster comme ils avaient dégusté ensemble la bouteille de Casinelli. Il tenait à partager son succès avec elle le moment venu — car Jillian réussirait, c'était certain.

— Donc, nous sommes d'accord, reprit-elle. Nous ne voulons ni l'un ni l'autre d'une relation. Notre passé complique trop les choses.

Mais Jillian prononça ces mots avec si peu de conviction qu'il comprit qu'elle menait à cet instant la même lutte intérieure que lui.

— Il ne s'agit pas seulement du passé, commença-t-il. Mais d'aujourd'hui, et de l'avenir. Et il y a aussi Rachel. Si nous décidions de continuer… ce que nous avons commencé…

A cet instant leurs regards se croisèrent. Les yeux de Jillian brillaient d'un éclat fébrile, empreints de passion et d'espoir.

— Imagine que cela se passe mal, poursuivit Seth. Les choses entre nous sont déjà suffisamment inconfortables après une seule nuit… Rachel t'adore, Jillian.

— C'est réciproque.

— Je le sais. Et c'est pour cela que je ne souhaite rien compromettre. Je ne me pardonnerai jamais de faire de nouveau souffrir ma fille si je ne suis pas capable de lui offrir une famille stable.

Jillian le dévisagea assez longtemps pour qu'il se sente de nouveau très mal à l'aise. Seth comprit qu'il venait d'en dire plus que prévu au sujet de son mariage avec Karen. Mais Jillian ne releva pas et en revint à la question la plus importante : Rachel.

— C'est une fausse excuse, Seth. Tu sais bien que depuis deux ans, je rends visite à Rachel deux fois par mois sans presque jamais te croiser, dit-elle d'une voix singulièrement froide. Tu devrais savoir que je ne laisserais jamais ce qui peut se passer entre toi et moi affecter ta fille, Seth. Je tiens trop à Rachel pour la laisser souffrir, dit-elle en tournant les talons.

Jillian avait raison, mais il la laissa s'éloigner. Que pouvait-il ajouter à cela ? Que pouvait-il faire de plus ?

En temps normal, le lundi et le mardi étaient les jours de repos hebdomadaire de Jillian, puisque la salle de dégustation était fermée. Mais Seth savait qu'elle prenait rarement ses journées. C'est pourquoi lorsqu'il ne la vit pas aux abords du chantier le lundi, il supposa qu'elle l'évitait. Ce qu'il pouvait comprendre, au vu de la situation.

Mais il avait besoin de l'informer que les fenêtres avaient été livrées un jour plus tôt que prévu. Il venait d'installer la première, et, reculant de quelques pas, les mains sur les hanches pour observer le résultat, il était plutôt satisfait. Jillian serait ravie de voir cela.

Il téléphona aux bureaux de Louret, mais Mercedes l'informa que sa sœur avait en effet pris sa journée.

— Elle est allée en ville avec maman. Essaie d'appeler à la maison, elles sont peut-être rentrées.

Il tomba sur Caroline.

— Je suis navrée, Seth, mais Jillian s'est précipitée aux écuries dès que nous sommes rentrées, lui dit-elle. Voulez-vous qu'elle vous rappelle à son retour ?

— Non, ce n'était pas important. Je la verrai demain.

A mi-chemin sur l'autoroute, il eut envie de faire demi-tour pour revenir à Louret et attendre Jillian, mais il était dans un tel état émotionnel qu'il préféra ne rien risquer d'inutile. Il était trop à cran et ne se faisait pas confiance.

Il attendrait le lendemain pour montrer la fenêtre à Jillian.

Ce fut une soirée routinière et Rachel, comme chaque soir, le supplia de lui raconter une histoire supplémentaire. Comme souvent, Seth s'en voulut de n'avoir pas été assez disponible pour sa fille ces derniers temps et, à 22 heures, après une longue journée, il eut enfin quelques minutes pour souffler. Il pensa appeler Jillian, mais il était déjà tard. Il composa son numéro mais raccrocha aussitôt. Jillian se levait tôt et elle était déjà probablement au lit. Il se résigna alors à attendre le lendemain, espérant qu'il ne passerait pas une nouvelle nuit à penser à elle.

— Je te réveille ?

— Non, non, pas du tout, s'empressa de répondre Jillian.

Impossible de dormir avec un cœur battant à deux cents à l'heure. Entendre la voix de Seth dans sa chambre, dans son lit, même si ce n'était que par le biais du téléphone, suffisait amplement à la réveiller.

— Tu n'es pas une très bonne menteuse, dit-il d'une voix amusée.

Elle s'autorisa un petit sourire, sachant que Seth ne le verrait pas.

— Habituellement, je suis debout depuis longtemps à cette heure-ci, expliqua-t-elle, mais j'ai mal dormi cette nuit.

— Moi aussi, murmura-t-il d'une voix éraillée qui résonna intensément dans chaque cellule du corps de Jillian.

Elle rejeta une mèche en arrière et colla un peu plus le combiné à son oreille, comme pour mieux s'imprégner de cette voix sensuelle.

— Allô ? entendit-elle. Tu es toujours là ?

— Oui, je t'écoute.

— Je croyais que tu t'étais rendormie.

Aucun risque. Elle était trop curieuse de connaître la raison de son appel si matinal.

— Caroline m'a dit que tu avais téléphoné hier… Je me demandais pourquoi.

— C'est cela qui t'a empêchée de dormir ?

— Pas du tout, rétorqua-t-elle en s'étirant.

Elle sentit la pointe de ses seins à demi excités se frotter contre le tissu de sa nuisette.

— J'ai beaucoup repensé au week-end dernier, avoua-t-elle après un silence. En me demandant si les choses auraient pu être différentes.

Seth demeura silencieux.

Visiblement, elle le prenait au dépourvu. Tant mieux. L'idée qu'elle était capable de lui faire un tel effet lui plaisait.

— Ecoute, dit-il enfin. Ça ne marche pas, Jillian.

Elle sentit une onde glacée la traverser de part en part.

— Qu'est-ce qui ne marche pas, Seth ? Y a-t-il un problème pour la livraison des fenêtres ?

Il eut un petit rire.

— Non, tout se passe bien. Mieux que prévu, même.

Jillian se redressa d'un trait dans son lit.

— Elles sont arrivées ? s'exclama-t-elle. Pourquoi ne m'as-tu rien dit ?

— C'est la raison pour laquelle je t'appelle.

C'était logique, mais Jill n'avait plus toute sa raison.

— Il faut absolument que je les voie ! Sont-elles aussi belles que je l'imagine ?

— Mieux encore.

Elle rit à son tour et rassembla ses esprits.

— Merci d'avoir compris que je voudrais être la première à les voir.

— Je ne voulais pas te manquer.

Il avait appelé tôt pour être sûr de lui parler avant qu'elle n'aille faire sa promenade à cheval. Mais Jillian pressentit que cette phrase apparemment anodine pouvait avoir un double sens.

— C'est pourtant le cas… Tu me manques, s'entendit-elle répondre.

Elle se figea dans ses draps. Venait-elle vraiment de murmurer ces mots ? Où était-ce une hallucination ? Le cœur battant à tout rompre, elle se laissa tomber sur le ventre.

Peut-être n'avait-il pas entendu… Ou compris…

— Tu veux dire que cela ne marche pas pour toi non plus, n'est-ce pas ? demanda-t-il après une pause.

Jillian ferma les yeux et serra le combiné dans sa main tremblante. Bientôt, tout son corps se mit à trembler, en proie à une terrible tension nerveuse… A moins que ce ne soit encore son désir pour Seth…

— En effet, avoua-t-elle dans un soupir. Je n'arrive pas à me résoudre à ce que nous avions décidé au sujet de notre non-relation.

Elle entendit Seth soupirer aussi à l'autre bout du fil.

— Viens-tu au chai ce matin ? demanda-t-elle, sur le point de défaillir.

— Je ne peux pas, grommela-t-il. Je dois me rendre sur autre chantier.

— Oh non !

— Pourtant j'ai tellement envie de te voir ! dit-il avec un petit rire complice.

— Moi aussi, Seth.

Elle voulait le voir, le toucher, le serrer contre elle…

— A quelle heure penses-tu en avoir terminé avec ce chantier ? demanda-t-elle en poussant un soupir impatient.

— En fin de matinée. Mais je dois ensuite passer à mon bureau pour une réunion.

— Puis-je t'y rejoindre après ta réunion ?

Elle pria pour qu'il accepte. Et tant pis si elle avait l'air désespérée. Elle l'était.

— Cela devrait se terminer vers 13 h 30, dit-il.

Le cœur de Jillian fut sur le point de lâcher.

— D'accord… A tout à l'heure, alors ?

— A tout à l'heure, répondit-il avant de raccrocher.

Assise sur son lit, les yeux rivés au téléphone, Jillian se demanda ce qu'elle venait d'accepter, quand le téléphone sonna de nouveau.

— Plutôt chez moi, dit Seth sans plus de préliminaires et d'une vois assurée.

— Mais… Et Rosa ?

— C'est son jour de congé.

12.

Jillian se garda devant chez Seth avec cinq minutes d'avance. Son 4x4 était déjà là.

Elle coupa le moteur, détacha sa ceinture de sécurité, mais ses mains tremblaient tellement qu'elle eut du mal à enlever les clés du contact. Elle se demanda alors jusqu'à quel point il était prudent de conduire dans son état : *sous l'emprise du désir.* Car sa lucidité était sévèrement altérée par l'envie et l'impatience de se retrouver au plus vite dans les bras de Seth…

La porte d'entrée s'ouvrit avant même qu'elle ne sonne et, l'espace d'un bref instant, elle resta perdue dans les grands yeux sombres de Seth. Cela ne faisait qu'une semaine, mais elle avait l'impression de ne pas l'avoir vu depuis une éternité.

— Entre vite, suggéra-t-il d'une voix d'hôte dévoué.

Sauf que son regard n'avait rien de mondain, mais brillait plutôt de cette lueur coquine que Jillian commençait à bien connaître à présent.

— Vite ? répéta-t-elle en devinant ses intentions.

— Oui, sinon, je pourrais choquer les voisins.

— Et moi, as-tu l'intention de me choquer ? demanda-t-elle en le laissant l'entraîner vers le salon.

Elle entendit la porte se refermer derrière elle et aussitôt,

Seth l'attira à lui et la serra contre lui. Elle sentit son torse tiède et robuste à travers ses vêtements.

— Probablement, répondit-il en posant ses lèvres sur les siennes.

Jillian se mit sur la pointe des pieds pour faciliter leur étreinte. Leur baiser fut d'abord fougueux et passionné — voilà trop longtemps qu'elle l'attendait — mais devint ensuite plus tendre, plus langoureux. Très vite, leurs corps s'invitèrent à une fête des sens.

Les mains de Jillian réapprirent le corps de Seth. En quelques secondes, elle lui ôta son T-shirt d'un geste habile et décidé, et parcourut enfin les muscles de son torse. Seth se laissa faire en riant et demanda, l'air espiègle :

— Qui est censé choquer qui ?

— Et encore, murmura-t-elle, tu n'as encore rien vu…

Leurs yeux se croisèrent de nouveau. Seth posa ses mains sur les plis de sa robe et la releva lentement le long de ses cuisses. Jillian ne broncha pas et soutint son regard, d'un air provocant.

— Bon sang, Jillian, tu aurais pu me prévenir ! s'exclama-t-il en découvrant qu'elle ne portait pas de sous-vêtements.

— J'y ai pensé, dit-elle en se rapprochant pour lui mordiller le lobe de son oreille. J'ai pensé t'appeler au bureau et te prévenir.

— Hmm… Je n'aurais sans doute pas pu travailler après une telle révélation, dit-il tout en caressant la peau nue de ses fesses.

Fière de son petit effet, Jillian commença à le déboutonner, les mains tremblantes sous l'effet du désir qu'elle sentait pulser à travers chaque pore de son corps. Elle reconnut le même désir dans les yeux de Seth et comprit qu'il était le seul homme avec qui elle pourrait se comporter de façon aussi libérée, et à qui elle pourrait faire à ce point confiance.

— Tu es tout excitée, susurra-t-il en glissant un doigt entre les replis de son sexe humide.

— Je le suis depuis ce matin, lorsque j'étais au lit et que tu m'as téléphoné.

Il émit un petit gémissement et poursuivit son exquise caresse.

— J'ai envie de toi, Seth... Maintenant ! murmura-t-elle à bout de souffle.

Elle finit de déboutonner son pantalon et referma ses mains autour de son sexe durci de désir.

— Passe tes jambes autour de moi, dit Seth en un soupir.

Il sortit un préservatif de la poche de son pantalon, avant de s'en débarrasser définitivement. Puis il l'empoigna par les hanches et la pénétra sans plus attendre, murmurant quelques paroles inaudibles — promesse, déclaration, bénédiction ? Il se figea alors un instant, laissant le temps à Jillian de savourer l'intensité du moment. Elle sentit son cœur exploser de bonheur, de plaisir, de soulagement.

— Enlève-moi ma robe, murmura-t-elle, impatiente de sentir sa peau contre celle de Seth. Vite !

En un éclair, Seth la débarrassa de son vêtement devenu trop encombrant. Il lui lécha les seins, l'embrassa sur la bouche et se mit à onduler en elle, au gré de coups de reins dont le rythme saccadé fit perdre la raison à Jillian.

Comment avait-elle pu se languir à ce point d'une chose qu'elle n'avait connue qu'une seule nuit ? Seth lui mordilla l'oreille et chuchota :

— La dernière fois, je t'ai laissé un suçon ici, dit-il en posant un doigt sous son lobe d'oreille. Et tous les jours, j'avais envie de soulever tes cheveux pour voir. Pour vérifier que c'était bien réel. Que tu m'avais bien appartenu cette nuit-là.

Jillian frémit au son de ces paroles. Une onde de chaleur

parcourut son corps tout entier et elle observa le visage de Seth, marqué d'une frénésie quasi sauvage.

— Je suis bien réelle, dit-elle avant de le mordiller de nouveau. Et je suis à toi.

La fièvre qu'elle lisait dans ses yeux la chavira, alors que leurs respirations saccadées s'accordaient en cadence à leurs gestes. Toujours plus vite, toujours plus fort, Seth continua d'aller et venir en elle jusqu'à ce qu'ils explosent tous les deux d'un plaisir extatique, à l'unisson.

— Tu sais, je prends la pilule.

Ils étaient étendus côte à côte, après l'amour, rassasiés, et Seth mit quelques instants à enregistrer les mots de Jillian. Il avait d'abord cru qu'elle s'était assoupie, tellement elle était sereine, allongée contre lui, le visage contre son torse.

— Et pas seulement pour des raisons contraceptives, ajouta-t-elle soudain.

A l'évidence Jillian avait envie de parler. Seth n'en était pas particulièrement surpris, mais il s'étonna plutôt de sa propre réaction. A savoir, aucune crise d'angoisse, ni envie subite de prendre ses jambes à son cou. S'il n'avait pas été aussi épuisé, il aurait peut-être même trouvé la force de sourire. Il se contenta de caresser les boucles encore humides de Jillian qui lui chatouillaient le torse.

Humides après la douche torride qu'ils venaient de prendre. D'ailleurs, peut-être devait-il à Jillian une explication concernant la réaction qu'il avait eue sous la douche. S'ils s'étaient protégés dans le salon, une fois sous la douche, Seth n'avait pas de préservatifs à portée de main. Malgré cela, Jillian l'avait supplié de lui faire l'amour. « Cela ne craint rien », avait-elle dit. Et il avait été tellement tenté qu'il avait failli succomber… Mais il s'était retenu, et à présent, elle méritait qu'il lui explique son comportement.

— Ce n'est pas que je ne te fais pas confiance, lui dit-il en lui caressant le dos. Mais… faire cela… comme ça… Je considère que c'est une énorme responsabilité.

Sous sa main, il sentit le corps de Jillian se contracter légèrement. Il savait qu'elle allait lui parler de la grossesse non désirée de Karen qui avait conditionné son avenir.

— Tu veux parler de toi et de Karen ?

— A l'époque j'ai commis la plus grosse erreur de ma vie.

— Oui, mais de cette erreur est née Rachel. Une merveilleuse petite fille.

Un véritable cadeau du ciel.

— Et toi, demanda-t-il, as-tu jamais envisagé de…

— D'avoir un bébé ? dit-elle en se redressant sur un coude, surprise par la question. Peu d'hommes dans ta position actuelle oseraient poser une telle question !

Si par position elle entendait le fait d'être nu dans un lit au côté d'elle, Jillian n'avait pas tort.

— C'est vrai… D'ailleurs, c'est toi qui as fini ma phrase.

Elle lui sourit.

— Alors ? reprit-il.

— Oui, soupira-t-elle après un certain silence. Oui, j'ai envisagé cette option à l'époque où je croyais en la solidité et la sincérité de mon mariage.

Seth n'avait jamais entendu Jillian utiliser un ton aussi cynique. Elle dut déceler sa stupeur, puisqu'elle poursuivit :

— Tu sais, Seth, je n'ai pas toujours été aveugle durant les cinq années que cela a duré.

Il aurait préféré ne pas lui poser cette question, mais il avait trop envie de savoir.

— Tu l'aimais ?

Une lueur d'émotion traversa les yeux de Jillian et Seth sentit sa gorge se nouer. Elle cala de nouveau son visage sur son épaule et répondit d'une voix à peine audible :

— Je croyais l'aimer, et le connaître. Or une fois que j'ai découvert qui il était, comment aurais-je pu aimer un homme aussi déloyal, immoral et égoïste ?

— Pourquoi es-tu restée avec lui dans ce cas ?

— Par orgueil. Et entêtement. A cause de tout ce que je risquais de perdre en le quittant, je redoutais d'admettre que je m'étais trompée, que j'avais échoué, avoua-t-elle avant de soupirer longuement.

— Peut-être pensais-tu pouvoir sauver ton mariage malgré tout ?

Elle promena sa main sur son torse avec nervosité.

— Sais-tu ce que j'ai ressenti lorsque j'ai appris qu'il était mort ?

Seth se figea, redoutant la tournure que prenait la conversation. Mais il était temps d'exhumer ces maudits souvenirs une bonne fois pour toutes… Avant de tourner définitivement la page.

— Du soulagement, murmura-t-elle d'une voix saturée d'émotion.

Seth ne savait que dire — y avait-il quelque chose à dire en pareille circonstance ? Il se contenta de la serrer contre lui et de déposer un baiser tendre sur son front.

— Je ne suis pas fière de l'admettre, continua-t-elle en parcourant son torse du bout des doigts, mais la seule chose que je me disais, c'était que j'étais enfin libre. Or dès que j'ai appris pour Karen, j'ai aussitôt pensé à toi et Rachel et je me suis haïe d'avoir été aussi égoïste.

Seth comprenait mieux que quiconque ce sentiment de dégoût de soi… Et, alors qu'il écoutait Jillian lui ouvrir son cœur, tandis qu'elle lui avouait des choses dont il savait qu'elle ne les avait jamais partagées avec personne d'autre, Seth ressentit le besoin irrépressible de lui confier à son tour la douleur et la culpabilité qui le rongeaient depuis trop longtemps.

Mais il ne savait pas par où commencer.

Jillian se dégagea doucement de son étreinte.

— Excuse-moi, Seth, je ne voulais pas gâcher l'ambiance.

— Je t'en prie, Jillian...

— C'est que le passé est parfois tellement lourd...

Seth repensa à Karen et à Jason, dont les ombres planaient encore au-dessus de Jillian et lui.

— Je crois que nous devons parler, reprit-elle lentement. Pas du passé, mais du présent. Et de ce que nous sommes en train de faire.

— Il me semble que nous faisons les choses par étape, sans précipitation, dit-il en souriant.

Jillian s'étira et se redressa pour l'embrasser.

— Tu as faim ?

— J'ai besoin de reprendre des forces, dit-il en hochant la tête.

Le souvenir de leurs ébats passionnés flotta un instant entre eux.

— Tu m'autorises à utiliser ta cuisine et à te préparer quelque chose ? Nous pourrons discuter de notre non-relation devant un plat.

— Tu me demandes la permission de me faire à manger ?

— Non ! Je te demande la permission de faire un raid dans ton réfrigérateur !

— Mais je t'en prie...

— Ne te fais pas trop d'illusions, s'empressa-t-elle d'ajouter en quittant le lit. Je suis loin d'être un cordon-bleu.

Elle s'arrêta avant de franchir la porte et Seth croisa les

bras sur son torse nu. Jillian lui adressa un sourire mutin avant de s'éclipser, le laissant avec l'impression soudaine d'être abandonné.

— Tu n'es peut-être pas un grand chef, mais tu es bien d'autres choses, Jillian Ashton ! murmura-t-il entre ses dents.

Seth enfila un jean et, pieds nus, descendit rejoindre Jillian, ramassant au passage les habits éparpillés qu'ils avaient abandonnés plus tôt. Il ne put s'empêcher de sourire en imaginant Jillian conduire jusqu'à chez lui sans sous-vêtements.

Mais arrivé au pied de l'escalier, Seth entendit avec effroi la clé de la porte d'entrée tourner dans la serrure.

Une seconde plus tard, la porte s'ouvrit et laissa apparaître Rosa qui portait Rachel dans ses bras. Seth se précipita vers sa fille qui semblait malade.

— Que t'arrive-t-il, princesse ? demanda-t-il en la prenant dans ses bras pour soulager son employée de maison.

— Elle n'a pas digéré son déjeuner, expliqua Rosa avec son franc-parler habituel. Une épidémie de grippe intestinale sévit au jardin d'enfants. On dirait que la petite l'a attrapée.

Rachel leva ses yeux fiévreux vers son père.

— Chuis pas petite, moi !…

C'est alors que Jillian sortit de la cuisine, l'air inquiet.

Dès qu'elle la vit, Rachel voulut faire un câlin à sa tante, et l'expression maladive de son visage tout pâle aurait fait craquer n'importe qui. Seth la lui confia avant de se tourner vers Rosa.

— Pourquoi ne m'ont-ils pas appelé ?

— Ils ont essayé de vous joindre, expliqua Rosa en le dévisageant d'un air entendu avant de scruter Jillian. Peut-être avez-vous débranché votre téléphone ?

Il tressaillit. En fait, lorsqu'il était rentré en trombe pour son rendez-vous avec Jillian, il était dans un tel état d'excitation qu'il en avait oublié son portable dans son 4x4. Et la crèche n'avait sans doute pas pensé à appeler chez lui, sachant qu'il n'y était habituellement pas en journée, la semaine.

— Ne vous en faites pas, patron. L'essentiel, c'est qu'ils m'aient trouvée ! dit Rosa en souriant.

— Mais, c'est votre jour de congé, dit-il, embarrassé.

— Voulez-vous que je reste pour m'occuper d'elle ?

— Non merci, Rosa, je vais m'en sortir.

— Vous êtes sûr ? demanda-t-elle.

Jillian s'avança et la tranquillisa :

— Je peux rester ici et veiller sur Rachel, Rosa. Je ne travaille pas le mardi.

Visiblement rassurée, Rosa les salua et quitta la maison.

Seth se tourna vers sa fille.

— Viens, princesse.

— Nan, je veux tante Jellie…

Jillian lui fit un clin d'œil par-dessus la tête de la petite et hocha la tête pour lui indiquer que cela ne la dérangeait pas.

Mais Seth fut soudain envahi par une angoisse sourde et pesante : tout ce qu'il avait tenté d'éviter était en train de se produire. C'était l'illustration parfaite de ce qu'il avait voulu expliquer à Jillian l'autre jour dans la cave. Comment en effet expliquer à une enfant de trois ans que la femme qui est en train de la bercer ne peut pas rester ? Qu'elle et son papa entretiennent une non-relation basée uniquement sur le sexe, qui ne satisfait aucun d'eux mais dont ils sont obligés de se contenter ?

Lui-même ne se l'expliquait pas…

— Ne t'en fais pas, Seth, tout ira bien, murmura Jillian en posant une main qui se voulait rassurante sur sa nuque.

— Non, répondit-il en desserrant à peine les dents. Toi, moi, Rachel… cela ne va pas.

Jillian se figea, sans doute surprise de son ton agressif. Elle posa les yeux sur Rachel, puis de nouveau sur lui.

— Ce n'est pas le moment, Seth.

Il acquiesça, malgré la tension qu'il ressentait dans tous les muscles de son corps.

— Nous parlerons plus tard, dit-il.

— D'accord, mais pour l'instant, peux-tu m'apporter une serviette de toilette et une bassine ? Je crains que Rachel ne soit de nouveau malade.

Plus tard, une fois que la petite fut endormie dans son lit, Seth fut attiré en bas par une odeur de café. Il trouva Jillian en train de fredonner alors qu'elle préparait à manger.

Frappé par l'image de *cette* femme dans *sa* cuisine, Seth n'eut soudain qu'une envie : que Jillian reste chez lui et ne quitte plus jamais sa maison. Il se souvint alors qu'elle avait voulu un enfant bien avant que son mariage ne s'effondre. Jillian avait l'instinct maternel, elle était douce, disponible. Et Rachel avait tant besoin de sécurité, de protection maternelle. Elle adorait sa tante, qui le lui rendait bien.

Soudain, tout lui parut clair et évident. Il ne voyait qu'une solution pour mettre un terme à ce sentiment tumultueux…

— Tu disais que tu ne voulais pas d'une relation, murmura-t-il.

Jillian avait dû sentir sa présence dans son dos, car elle ne tressauta pas au son de sa voix. Mais il vit ses épaules se contracter. Elle posa son couteau et s'essuya les mains, sans se retourner.

— Nous devons pourtant trouver une solution, continua-t-il

en avançant dans la pièce. Je ne veux pas qu'une situation comme celle de tout à l'heure se reproduise.

— Et que proposes-tu ?

Seth sentit son cœur tambouriner contre sa poitrine, en rythme avec ses pas qui le menaient vers Jillian. Il s'arrêta contre elle, se colla à son dos et chuchota l'impensable :

— Le mariage.

Aussi incrédule qu'excitée, Jillian sentit son cœur se serrer. Avait-elle bien entendu ? Prenait-elle ses rêves pour des réalités ?

Si Seth ne reprenait pas rapidement la parole, elle allait défaillir, elle en était sûre.

— On est si bien ensemble, reprit-il en passant ses bras autour d'elle. Et puis, Rachel t'adore… Epouse-moi, Jillian !

Cette fois, elle se retourna. Elle eut soudain les jambes en coton et dut s'appuyer à la table pour ne pas tomber.

— Tu n'es pas sérieux…

— Je ne l'ai jamais autant été.

Seigneur, elle ne rêvait pas ! Les grands yeux sombres et déterminés de Seth la scrutaient dans l'attente d'une réponse.

Mais curieusement, bien que Jillian fût tentée de hurler un *oui* trépidant et résolu, elle se trouva soudain sans voix.

— Eh bien ? demanda-t-elle.

— Euh, je crois que… Je ne…

Exaspérée par son incapacité à aligner plus de trois mots, elle se mit à gesticuler avec nervosité.

— Tu ne veux quand même pas une réponse tout de suite ? finit-elle par articuler tant bien que mal.

Le silence avec lequel il répondit était éloquent. Jillian crut déchiffrer une brève lueur de contrariété dans ses yeux.

— Disons qu'un indice m'aiderait…, admit-il.

Mais Jillian attendait aussi un indice. Elle avait besoin

de savoir que Seth la désirait, *elle*, et pas seulement pour combler le vide maternel dont souffrait Rachel. Oh, elle ne lui demandait pas de déclaration enflammée, simplement un petit signe qui pourrait l'aider à prendre sa décision.

Mais tout ce qu'elle obtint, ce fut un regard impénétrable, et l'impression que Seth dissimulait mal son impatience. Elle eut soudain le sentiment d'être poussée à prendre une décision trop hâtive.

— Je ne suis pas opposée à l'idée de me remarier, finit-elle par articuler. J'ai envie de fonder une famille, mais il me faut pour cela un partenaire fiable et accommodant.

— Et je ne suis pas cela ?

— Pas à mes yeux, Seth. A mes yeux tu n'es que coups de tête et décisions incontrôlables. Avec toi, je dis ou fais des choses que je n'avais jamais dites ou faites auparavant. Bon sang, Seth, avec toi je passe mon temps à repousser mes limites, et cela me fait peur ! Ce n'est pas moi, cette femme qui se balade sans culotte !

— Peut-être au contraire que *c'est* toi, répondit-il en la transperçant de son regard ténébreux. Peut-être que tu n'aspires pas tant que ça à une relation fiable et trop tranquille. Peut-être que la vraie Jillian Ashton est celle qui monte des juments enragées, ou crée des vins nouveaux et audacieux…

— Ecoute, Seth, cela n'a rien à voir : nous sommes en train de parler de mariage ! La dernière fois où je me suis mariée, j'ai agi par passion et instinct et nous savons tous les deux où cela m'a menée.

— Mais enfin, la dernière fois…

Il s'arrêta net et Jillian comprit immédiatement où il allait en venir.

— Es-tu en train de me comparer à ton frère ? demanda Seth d'un ton glacial. Tu crois que j'ai l'intention de me servir de toi et de te délaisser juste après notre lune de miel ?

— Tu sais que ce n'est pas ce que j'ai voulu dire, et que je t'expliquais simplement pourquoi je ne pouvais me précipiter une nouvelle fois dans un mariage les yeux fermés.

Seth secoua la tête et soupira longuement.

— Tu n'es pas la seule à avoir souffert d'un mariage raté, Jillian. Le monde est plein de gens comme nous !

Soudain, elle eut du mal à respirer. Seth était-il en train de lui faire comprendre que son mariage avec Karen avait été un échec ? Elle vit alors son regard s'emplir de regrets.

— Désolé, Jillian. Je n'aurais pas dû dire cela.

— Mais tu l'as fait, affirma-t-elle en cherchant son regard alors que son cœur battait à cent à l'heure. Et maintenant, explique-moi, Seth. Je t'en prie, explique-moi !

— Tu sais que j'ai épousé Karen parce qu'elle était enceinte, et il s'est avéré que ce n'était pas une bonne raison, avoua-t-il en se balançant sur ses pieds, mal à l'aise. Nous nous sommes retrouvés piégés. Nous avons essayé, mais n'avons pas su nous rendre heureux, l'un l'autre… Notre couple n'aurait de toute façon pas survécu.

A ces mots, Jillian fut submergée par tout un flot d'émotions. Elle le comprenait si bien.

— Et ce, même malgré Rachel ? demanda-t-elle.

— Oui, soupira-t-il. Je n'aurais pas pu rester avec une femme volage.

— Karen avait un amant ? s'exclama Jillian, stupéfaite.

Comment était-ce possible ? Karen avait un bébé. Elle était mariée à Seth…

— Pourquoi aurait-elle eu besoin d'un autre homme ?

Seth eut un rire cynique et secoua la tête.

— Apparemment, je ne lui offrais pas toute l'attention dont elle avait besoin.

— Apparemment ?

— Je n'ai jamais eu l'occasion de discuter avec elle de tout cela, expliqua Seth en pesant chaque mot.

A l'évidence, il ressassait cette histoire depuis des années.

— Que veux-tu dire ? questionna Jillian de plus en plus troublée. Que tu ne l'as appris qu'après…

Qu'après sa mort, comprit alors Jillian, sur le point de défaillir.

Karen était avec son amant la nuit de sa mort.

— C'était Jason ? demanda-t-elle avec horreur, d'une voix qu'il ne lui appartenait plus.

Elle secoua violemment la tête, refusant de croire à l'impensable et reculant d'un pas pour se heurter au bar de la cuisine.

— Mais…, balbutia-t-elle, abasourdie. Tu m'as toujours dit que ce soir-là il raccompagnait Karen chez vous parce que sa voiture était tombée en panne ?

Jillian se souvenait encore du moment où Seth lui avait annoncé la tragédie. Elle s'était précipitée dans ses bras en sanglots, maudissant intérieurement son mari si égoïste d'avoir causé la mort d'une épouse et d'une mère innocente. D'autant que lorsque le policier lui avait annoncé que Jason n'était pas seul dans la voiture ce soir-là, Jillian avait été convaincue qu'il s'agissait de sa maîtresse. En apprenant qu'il s'agissait de Karen, elle s'était presque sentie soulagée de savoir que son mari n'était pas mort en la trompant…

Mais, à présent, Jillian ressentait une tout autre douleur, une tout autre colère, un tout autre sentiment de trahison. Une trahison qui n'avait rien à voir avec Jason ou Karen, mais bien avec l'homme qu'elle avait toujours cru franc et honnête. L'homme en qui elle avait mis toute sa confiance, l'homme qu'elle croyait aimer. Cet homme lui avait menti.

Et pas seulement par omission.

— Tu m'as menti, Seth.

— Jillian, ce n'est pas ce que tu crois…

— Non ! Je refuse d'écouter tes explications ou excuses ; j'ai suffisamment perdu de temps à écouter celles de ton frère. Voilà deux ans que tu me caches la vérité, Seth, et c'est tout ce qui compte à mes yeux !

— Mais je l'ai fait pour te protéger, Jillian. Et je ne suis pas Jason !

— Tu te conduis pourtant exactement comme lui.

Il la dévisagea sans rien dire, la mâchoire crispée.

— Tu ne penses pas ce que tu viens de dire.

Elle secoua la tête, surprise d'avoir été si loin dans ses propos, mais incapable de s'excuser. Pas tant qu'elle se sentait à ce point oppressée par la désillusion à laquelle elle était en train de faire face.

— Non, en effet. Mais tu comprendras que je ne peux épouser un homme qui n'est pas à cent pour cent honnête avec moi. Je ne peux même pas l'envisager.

13.

Bien décidée à ne pas se laisser envahir de remords ni à s'apitoyer sur son sort, Jillian s'efforça de passer une fin de semaine normale. Elle continua d'animer des séances de dégustation à la cave, tout en supervisant les ouvriers et l'électricien qui apportaient la touche finale à la nouvelle salle de dégustation. De plus, elle se concerta à plusieurs reprises avec Caroline et Mercedes au sujet de la surprise-partie prévue le dimanche soir. Dixie et Cole ne se doutaient de rien. Ils croyaient être conviés à l'inauguration non officielle des nouveaux locaux de dégustation de Louret, aux côtés de la famille et de quelques membres du personnel.

Jillian n'eut donc pas une minute à elle jusqu'au départ des derniers ouvriers, le vendredi après-midi. Il restait encore quelques retouches à apporter à la salle de dégustation en terme de décoration, mais le gros-œuvre était bel et bien terminé. Jillian passa sous les immenses portes d'entrée en forme d'arcades, contemplant le résultat fini, plus satisfaisant encore que ce qu'elle avait imaginé au départ.

Pourtant, elle ressentit à cet instant comme un grand vide. Sans doute à cause de la fatigue, du surmenage, et également du désordre émotionnel dans lequel elle se trouvait. Tant pis, elle se sentirait mieux après la fête de dimanche. Le vin coulerait à flots et la grande salle s'emplirait du tumulte des conversations ; de la musique et des rires résonneraient contre les nouvelles poutres apparentes du plafond. C'est seulement à ce moment qu'elle pourrait ressentir la satisfaction d'un travail bien fait.

Dans un coin de la salle se trouvaient des cartons qu'elle avait fait monter de la cave. Il ne lui faudrait pas plus d'une heure pour déballer les différents vins et articles-souvenirs à l'effigie du domaine et pour les installer dans les petites vitrines flambant neuves qu'elle avait fait installer à cet effet.

Dix minutes plus tard, Caroline fit son entrée et demeura un instant bouche bée devant l'ampleur des transformations.

— Oh, Jillie, c'est absolument magnifique !

Jillian sourit, puis aperçut un petit paquet sous le bras de sa mère.

— Qu'as-tu apporté ? demanda-t-elle.

D'un œil attentif, Caroline continua d'inspecter la salle. Puis elle hocha la tête, se dirigea vers le bar et défit le paquet dont elle sortit un tableau. Il s'agissait de son portrait, que Dixie avait peint en vue du lancement du Chardonnay Caroline.

— Crois-tu qu'il irait bien ici ? demanda-t-elle.

— C'est parfait !

— N'est-ce pas ! dit Caroline en plaquant le cadre contre le mur. Lucas viendra le fixer tout à l'heure.

Puis elle commença à aider Jillian à déballer les articles. Mère et fille travaillèrent en silence durant quelques minutes, jusqu'à ce que Caroline demande :

— Quelque chose te tracasse, Jillian ?

— Qu'est-ce qui te fait croire cela ?

— Une intuition maternelle.

Jillian se redressa, regarda sa mère droit dans les yeux, et sans plus de tergiversations, elle vida son sac :

— Seth m'a demandée en mariage.

Caroline manqua de lâcher la carafe en cristal qu'elle

venait de sortir d'un carton, mais fit preuve de beaucoup de sang-froid en la déposant délicatement sur une étagère.

— Etait-ce une aussi grande surprise pour toi que ça l'est pour moi ? demanda-t-elle.

Jillian essaya un timide sourire.

— Nous nous voyons depuis quelque temps.

— Et ?

— Oh, maman, je ne sais pas, je suis perdue !

Aussitôt, Caroline posa une main sur son épaule pour la réconforter, et Jillian se laissa aller contre ses doigts fins et soyeux. Elle ne s'était pas rendu compte du poids des émotions qu'elle avait refoulées toute la semaine durant. Elle avait soudain une furieuse envie de parler.

— Tu l'aimes ? demanda Caroline le plus simplement du monde.

— Je le croyais, maman, mais comment peut-on être sûre qu'il s'agit bien de l'homme de sa vie ? s'exclama-t-elle en poussant un soupir de frustration et d'appréhension. Par exemple, je sais que je vous aime, toi, Lucas, Mercedes et mes frères, parce que vous êtes les seuls à qui je peux me raccrocher quand tout va mal… Mais avec Seth, je… la moitié du temps, tout ce que je ressens, c'est un nœud dans l'estomac, et une violente pulsation dans mes tempes, dans mes veines, et dans mon cœur…

— Et qu'en est-il de l'autre moitié ?

— Eh bien, l'autre moitié du temps, c'est… merveilleux, répondit Jillian en se balançant sur ses talons, ne souhaitant guère partager avec sa mère les détails torrides de son idylle avec Seth. Mais ce à quoi j'aspire, c'est un amour solide et réconfortant. Comme celui que tu partages avec Lucas.

— C'est en effet la meilleure façon de vieillir heureux à deux, acquiesça Caroline en prenant une bouteille de merlot de la main de Jillian. C'est un peu comme un bon vin qui débute sa vie avec un caractère discret et un style simple, et qui se fait plus robuste et dont les arômes se révèlent de plus en plus subtils avec les années.

— Oui, mais la plupart des vins vieillissent mal.

— Seulement s'ils ne sont pas fabriqués avec soin.

Jillian hocha la tête et continua à déballer les bouteilles à exposer en vitrine. Comment pouvait-elle être sûre que Seth et elle seraient heureux ensemble ?

— Lucas m'a attendue, reprit Caroline d'une voix paisible. Il savait que j'avais besoin de temps, et il a attendu.

Jillian faillit répondre que Seth n'était pas Lucas, mais se ravisa. Peut-être parce qu'après tout, au fond d'elle, elle savait que Seth *avait* attendu de nombreuses années, et que c'était un homme sur qui elle pouvait compter…

— Mais il m'a menti, maman !

Caroline releva subitement la tête.

— Eh bien, cela me surprend beaucoup de la part de Seth. Avait-il une bonne raison de le faire ?

— Il a cru m'éviter de souffrir en me dissimulant des informations.

— J'ai toujours suspecté Seth d'avoir un fort instinct protecteur, déclara Caroline avec une certaine prudence.

— Peut-être, mais je crois que je préfère être blessée par la vérité que protégée par un mensonge.

Caroline se mordit la lèvre mais n'ajouta rien. Après quelques instants, elle reprit :

— C'est à toi seule de te faire ton opinion à ce sujet, Jillie. Mais n'oublie pas de te demander si Seth a souffert de devoir faire une chose qui semble si contraire à son caractère. Et s'il en souffre encore…

*
* *

Entre l'organisation de la surprise-partie et la décoration de la salle, Jillian avait dû appeler du personnel en renfort pour la remplacer lors des séances de dégustation du week-end. Mais du coup, elle regretta d'être soudain moins surmenée. Elle passait en effet son temps à se demander si elle n'avait pas commis la plus grosse erreur de sa vie lors de sa dernière conversation avec Seth.

Et lorsque, le dimanche matin, le mari de la fleuriste avait appelé en expliquant que sa femme venait d'être transportée en urgence à la maternité pour un accouchement prématuré, Jillian remercia le ciel. Voilà exactement ce dont elle avait besoin en ce moment : un problème à résoudre.

D'autant qu'elle avait la solution : Charlotte.

Sa cousine n'hésita pas une seconde à lui prêter main-forte, bien qu'elle fût déjà en pleins préparatifs pour une réception à la *Villa Ashton* qui devait avoir lieu l'après-midi.

Jillian emprunta un des fourgons du chai de Louret, ravie de se soustraire à l'atmosphère stressante de l'avant-fête, et fonça à la boutique de la fleuriste afin d'y récupérer les arrangements que la jeune femme n'avait pas eu le temps de terminer. Puis elle conduisit en direction de la *Villa Ashton*, à l'autre bout de Napa.

Un domestique répondit à son appel depuis la grille de sécurité, puis la laissa entrer dans l'immense propriété ceinte de hauts murs. Bien que ce fût là sa deuxième visite, Jillian ressentit le même mélange d'ébahissement et d'anxiété alors qu'elle passait devant la piscine, puis se garait devant l'imposante demeure. Avant que Spencer ne mette la main sur la propriété grâce à son divorce d'avec Caroline, tout ceci appartenait aux Lattimer depuis des générations. Jillian peinait à imaginer sa mère dans un environnement aussi guindé et ostentatoire.

Pas plus que Charlotte, d'ailleurs. C'était sans doute la raison pour laquelle sa cousine avait emménagé dans un cottage dans une autre partie de la propriété. Mais pour l'heure, Charlotte devait être à l'intérieur de la grande demeure, et Jillian se demanda comment la trouver sans se perdre.

La salle de réception était-elle située dans l'aile Est ou Ouest ? Y avait-il une entrée particulière pour les fournisseurs ? Et pourquoi n'osait-elle pas sortir de sa voiture et demander son chemin au personnel qui s'activait de part et d'autre de la propriété ?

Sa première visite avait été moins intimidante, mais c'était sans doute parce qu'elle avait été accompagnée par Mercedes. Aujourd'hui, elle était seule...

Jillian prit une profonde inspiration, sortit de sa voiture et se dirigea vers le majestueux porche d'entrée. Elle s'apprêtait à sonner lorsque la porte s'ouvrit. Jillian fit un pas en arrière... et se retrouva nez à nez avec Spencer Ashton. Sous le choc, elle vit néanmoins au fond de ces grands yeux verts dont elle avait hérité que Spencer l'avait reconnue. Mais ce fut tout. Pas un mot, pas un sourire, rien. Au lieu de cela, Spencer appela son maître d'hôtel par-dessus son épaule.

Puis, comme si de rien n'était, il poursuivit son chemin. Une onde d'indignation et de profonde exaspération submergea alors Jillian, qui décida de ne pas en rester là. Elle n'aurait peut-être pas eu le courage de réagir pour elle seule, mais elle le fit pour un bambin roux qui avait hérité des mêmes yeux verts que Spencer et répondait au prénom de Jack. Un innocent qui n'avait toujours pas de père reconnu, ni la protection matérielle et financière qu'il était en droit de recevoir.

— Attendez ! s'écria-t-elle en poursuivant Spencer.

Il se retourna, les traits figés et impatients.

— Oh, vous veniez me voir ? Navré, mais je suis sur le point de m'absenter.

— Ne vous inquiétez pas, je ne vous retiendrai pas.

— C'est pourtant déjà ce que vous faites.

Jillian descendit deux marches du perron, mais conserva quelques centimètres au-dessus du visage de Spencer, ce qui lui donna l'impression de posséder un certain avantage sur lui.

— Il ne s'agit pas de moi ; mais d'un petit garçon qui a besoin de votre aide. Il s'appelle Jack Sheridan, et c'est votre fils, mais je suppose que vous le savez déjà.

Pour toute réponse, Spencer tritura un bouton de manchette et consulta sa montre d'un air las.

— Sa tante, qui en a la garde, reçoit des menaces, poursuivit Jillian sans se laisser intimider. Elle craint pour la sécurité du petit. Elle a tenté de vous…

— Cette affaire me semble plutôt être du ressort de la police. Est-ce tout ? demanda-t-il d'un ton froid et sans cœur.

— Accepteriez-vous de la rencontrer ? persista Jillian. Accepteriez-vous au moins de parler à Anna ?

— Je ne vois pas en quoi tout cela vous concerne, Jocelyn.

Jocelyn ? Etait-ce une de ses feintes, destinée à détourner l'attention de Jillian tandis qu'il s'éloignait ? Ou ne se souvenait-il réellement pas de son prénom ?

— Vous êtes vraiment un cas d'école, Spencer Ashton ! s'écria Jillian, incrédule.

Malgré tout ce que la presse avait pu dire concernant sa bigamie et ses maîtresses à répétition, malgré les dégâts que cela avait causés sur le cours des actions Ashton-Lattimer, malgré la découverte de son dernier enfant non légitime, Spencer demeurait incroyablement placide et ne paraissait nullement affecté. Tout comme Jason lorsque ses affaires avaient commencé à mal tourner.

« Et que faites-vous de tous ceux que vous avez fait souffrir ? avait-elle envie de lui hurler au visage. Vous n'avez donc aucune conscience ? »

Mais, au lieu de cela, elle secoua la tête tristement, connaissant déjà la réponse.

La seule personne dont Spencer Ashton se souciait, c'était lui-même. Son attitude exécrable envers Jack et Anna mettait Jillian hors d'elle, mais elle ne se formalisa même pas de la façon méprisante avec laquelle il la traita.

Après tout, se raisonna-t-elle, seuls les gens que l'on aimait étaient susceptibles de nous blesser, ou de nous faire souffrir…

Des gens comme Seth.

La surprise-partie connut un vif succès, et tout le monde complimenta Jillian. Tout était parfait : des nouvelles baies vitrées en forme d'arcades au bar de dégustation en marbre, en passant par le portrait de Caroline par Dixie ou les fleurs de Charlotte. Mais surtout, la surprise sur les visages de Cole et Dixie lorsque Mercedes avait fait entrer le gâteau de mariage.

Jillian reçut tous ces compliments avec un sourire radieux, mais à force de regarder les jeunes mariés danser sans fin les yeux dans les yeux, elle eut un pincement au cœur.

Elle avait cru jusqu'au dernier moment que Seth viendrait, non pas pour célébrer la réussite de son chantier, mais parce que Caroline l'avait personnellement invité et qu'il avait laissé entendre qu'il acceptait.

Jillian avait naïvement imaginé que cette soirée serait peut-être l'occasion pour eux de mettre les choses au point. Et même s'il était déjà tard, elle ne pouvait s'empêcher de scruter la porte en espérant qu'il arrive. Même si elle se trouvait pathétique…

Soudain, elle croisa le regard de sa mère qui lui adressa un petit clin d'œil de compassion à l'autre bout de la pièce. C'en était trop. Jillian n'en pouvait plus de jouer ainsi les hôtesses modèles, alors que son cœur était en train d'imploser. Si elle avait pu prendre ses jambes à son cou, elle l'aurait fait. Pourtant, elle avait besoin d'air, d'espace et d'un peu de temps pour retrouver ses esprits.

Seth la trouva sous la pergola de vigne vierge, dans une demi-obscurité. Elle l'avait vu à la seconde où il était sorti de la salle de dégustation. Et il avait instantanément senti son regard brûlant sur lui.

— Je ne pensais pas que tu viendrais, murmura-t-elle alors qu'il arrivait près d'elle. Il est si tard que je ne t'attendais plus.

Puis elle se tourna vers lui, et lorsque leurs yeux se croisèrent, Seth sut immédiatement pourquoi il était là. Malgré tout ce qu'ils s'étaient déjà dit, malgré toutes leurs réserves et toutes leurs craintes, Jillian et lui étaient faits l'un pour l'autre. Ils méritaient d'être heureux tous les deux, ensemble.

Et ce même si Jillian avait décidé de le rayer de sa vie.

Elle détourna le regard, et Seth sentit que s'il ne la retenait pas maintenant, il la perdrait à jamais. Il ferma les yeux un instant en priant pour trouver les mots pour expliquer à Jillian pourquoi il avait le cœur brisé depuis qu'elle avait quitté sa cuisine, quelques jours plus tôt.

— Je n'ai jamais voulu te mentir, Jillian, commença-t-il avant de pousser un soupir. Tu as déjà subi tellement d'épreuves ! Je me souviens m'être longtemps demandé comment tu avais fait pour supporter les horreurs que t'a fait endurer Jason. Je ne voulais pas que tu souffres de nouveau.

— Je sais, dit-elle d'une voix frémissante en se tournant une nouvelle fois vers lui. Je sais que pour toi la vérité est très importante. Et que si tu as choisi de ne pas me la révéler, c'est que tu as estimé en ton âme et conscience que c'était la meilleure des choses à faire.

— Je ne suis pas Jason, tu sais. Je ne te ferai jamais…

— Chut…, murmura-t-elle en posant un doigt sur ses lèvres. Ne parlons plus du passé.

Il fallut à Seth près d'une minute avant de comprendre ces paroles, et pour tenter de ne pas se laisser submerger trop vite par ses émotions. Lentement, la main de Jillian glissa de ses lèvres vers sa joue en une caresse tendre et pleine d'espoir.

— Dois-je comprendre que tu me pardonnes ? demanda-t-il en ayant le plus grand mal à déglutir.

— Seulement si tu te pardonnes toi-même… et si tu me pardonnes pour ce que je t'ai dit l'autre jour.

— Tu étais sous le choc.

— C'est vrai, admit-elle en baissant les yeux. Les seules personnes qui peuvent nous faire souffrir sont les personnes que l'on aime profondément.

A ces mots, elle posa la main sur son cœur et le regarda droit dans les yeux, au bord des larmes. Seth fut aussitôt envahi par un intense sentiment, plein d'espoir et d'appréhension.

— Es-tu en train de me dire ce que je crois que tu es en train de me dire ?

— Je crois bien… Je t'aime, Seth. Et, oui, je veux être ta femme si tu acceptes encore de m'épouser.

— Si j'accepte encore ?… Mais tu as perdu la tête !

— Oui, avoua-t-elle. Acceptes-tu encore de m'épouser à présent que tu sais que je suis complètement folle de toi ?

Seth se mit à rire gaiement.

— Bien sûr que j'accepte !

Il s'approcha d'elle, et resta un long moment silencieux, à contempler cette femme qu'il désirait depuis si longtemps, ayant peine à croire qu'enfin son rêve devenait réalité.

Puis, avec une grande douceur, il se pencha vers elle, et déposa un baiser sur ses lèvres, tendrement, langoureusement.

— Tu m'as manqué, ma belle, murmura-t-il avec un sourire ému.

Jillian ferma les yeux.

— Je suis tellement heureuse que tu sois venu ce soir.

— Et si je n'étais pas venu ?

— Je serais allée chez toi demain à la première heure. Pour m'excuser.

Il la regarda avec des yeux pleins d'amour.

— Je t'aime, Jillian. Je t'aime de tout mon cœur, de toute mon âme. Merci d'accepter de prendre le risque de vivre avec moi.

— Une personne très avisée m'a un jour dit que certains risques valaient la peine d'être courus.

— Cette personne doit en effet être très avisée.

— C'est une des nombreuses choses que j'apprécie chez cette personne, admit-elle avec un sourire rayonnant de bonheur alors qu'il la prenait dans ses bras. Tu veux que je t'énumère les autres ?

Il lui ferma la bouche d'un baiser. C'est tout ce dont il avait envie pour l'instant. Ils avaient de nombreuses années devant eux pour se faire des compliments. La vie entière.

Collection *Passion*

La Dynastie des Ashton

DÉCOUVREZ, EN AVANT-PREMIÈRE,
UN EXTRAIT DU CINQUIÈME ROMAN
DE LA SAGA

LA PASSION À FLEUR DE PEAU

de Nalini Singh

Ne manquez pas le 5e titre de cette série inédite.

À paraître le 1er mai

3,50€ - SFr.6.-

Extrait de *La passion à fleur de peau*,
de Nalini Singh

Tout au fond de lui, Alexandre sentit s'éveiller une faim qu'il n'avait pas éprouvée depuis bien longtemps, une sensation aux antipodes de cet ennui blasé qui ne l'avait pas lâché ces dernières années.

— Avez-vous besoin d'aide, mon amie ?

Charlotte pivota si vite qu'elle faillit tomber sur son vélo. Elle ne s'attendait pas à rencontrer âme qui vive à cette heure matinale, et resta muette de saisissement, face à l'homme le plus séduisant qu'elle ait jamais vu.

Une lueur amusée s'alluma dans le regard brun de l'étranger qui lui tendit la main.

— Excusez-moi. Je ne voulais pas vous faire peur.

Elle reprit sa respiration et accepta son aide. Elle se sentit aspirée, possédée, au contact de cette main ferme et de ces longs doigts qui s'enroulaient autour des siens. Une vague de chaleur remonta le long de son dos et lui enflamma les joues. Elle se dégagea dès qu'elle fut sur pied, incapable de contrôler le bouillonnement qui s'emparait de tout son corps.

— Nous n'avons pas été présentés. Je suis Alexandre Dupré, dit-il avec un charmant accent français.

Charlotte redouta que ses genoux ne flanchent. Alexandre. Ce prénom fort, masculin, lui allait comme un gant, se dit-elle.

— Char… Charlotte, parvint-elle à articuler, malgré l'émotion qui lui serrait la gorge.

— Charlotte, répéta-t-il.

Elle trouva que, dans la bouche d'Alexandre, son prénom sonnait tout à coup de manière exotique.

— Et que faites-vous ici à une heure aussi matinale, chère Charlotte ? Vous travaillez sur le domaine ?

Ainsi, songea-t-elle, il supposait qu'elle était une employée et non un membre de la riche famille Ashton. Peut-être aurait-elle dû se sentir vexée ? Mais en fait, elle n'avait jamais souhaité faire partie de cette famille.

— Non, dit-elle.

Charlotte ne parvenait pas à retrouver ses esprits. Jamais elle n'avait rencontré un homme dégageant une telle sensualité.

— Non ? Vous voulez garder votre mystère ? demanda-t-il avec un sourire destiné à l'amadouer.

Mais, pour Charlotte, les lèvres pleines d'Alexandre évoquaient tout autre chose. Poussée par l'envie d'en savoir davantage sur cet homme, elle parvint à surmonter sa timidité et son trouble.

— Et vous ? demanda-t-elle.

Qui était cet homme qui lui avait souri et, en une fraction de seconde, était parvenu à remettre en question tout ce qu'elle croyait sur sa capacité à ressentir la passion et le désir ? Tout son corps bouillonnait de vie, comme enflammé par un feu intérieur.

C'était comme si elle avait attendu cet homme depuis le jour où elle était devenue femme. Par quel miracle suscitait-il une telle réaction en elle ?

Elle voyait les yeux d'Alexandre, sombres comme un chocolat amer, s'attarder sur sa bouche. Elle aurait voulu lui demander d'arrêter, mais elle ne parvenait pas à émettre le moindre son. C'était comme s'il l'embrassait d'un simple regard, éveillant en elle des désirs inavouables.

— Je travaille avec Trace Ashton, répondit-il.

Un œnologue, songea Charlotte qui n'ignorait pas les ambitions de Trace, décidé à faire de la Grande Cuvée Ashton un cru prestigieux. Pourtant, Alexandre ne correspondait pas à l'idée qu'elle se faisait d'un employé. Certes, il était vêtu de manière décontractée — un pantalon noir et une chemise blanche à col ouvert dont il avait roulé les manches sur ses avant-bras. Mais la coupe des vêtements et la qualité des matières, de même que la montre de marque attachée à son poignet, trahissaient une habitude du luxe.

— Où allez-vous, ma chère ? Voulez-vous un peu de compagnie pendant votre voyage ? demanda-t-il, jetant un coup d'œil au chemin qui serpentait à travers les vignes.

Les yeux de Charlotte s'agrandirent.

— No... non. Je dois y aller, je suis en retard, bafouilla-t-elle.

Elle releva la béquille de sa bicyclette, l'enfourcha et voulut pédaler.

Avant de se souvenir tout à coup qu'elle avait justement été forcée de mettre pied à terre car la chaîne était coincée. Elle s'arrêta, et vit Alexandre s'approcher d'elle. Tout près d'elle.

— Ne bougez pas, Charlotte. Je vois d'où vient le problème.

Il se pencha et retira au bout de quelques instants un morceau de cordelette qui s'était pris dans la chaîne.

— Vous avez dû rouler dessus sans vous en apercevoir, lui expliqua-t-il en la voyant regarder par-dessus son épaule. Il y en a plein autour des vignes, on s'en sert pour accrocher les jeunes ceps.

Charlotte sentit ses joues brûler de nouveau, parfaitement consciente que son teint mat n'allait pas réussir à masquer cette violente manifestation de trouble.

— Merci.

— Je vous en prie. Bon voyage, lui lança-t-il avec un sourire moqueur.

Charlotte eut envie de se mordre les lèvres… ou plutôt de dévorer celles d'Alexandre.

Elle prit une profonde inspiration et se mit à pédaler, sentant le regard d'Alexandre sur ses reins jusqu'au moment où un virage la déroba à sa vue. Alors seulement, elle s'autorisa à souffler et à repenser à cette rencontre si bouleversante.

Est-ce qu'il avait flirté avec elle ?

A peine ébauchée, cette idée lui parut stupide. Un homme aussi incroyablement sexy qu'Alexandre Dupré ne flirtait pas avec les jardinières timides dans son genre. Mais pour la première fois de sa vie, Charlotte aurait tout donné afin qu'un tel homme — charmant, sophistiqué, et trop bien pour elle — lui fasse vraiment la cour.

LE FORUM DES LECTEURS ET LECTRICES

CHERS(ES) LECTEURS ET LECTRICES,

VOUS NOUS ETES FIDÈLES DEPUIS LONGTEMPS?

VOUS VENEZ DE FAIRE NOTRE CONNAISSANCE?

SI VOUS AVEZ DES COMMENTAIRES, DES CRITIQUES À FORMULER, DES SUGGESTIONS À OFFRIR, N'HÉSITEZ PAS... ÉCRIVEZ-NOUS À:

LES ENTERPRISES HARLEQUIN LTÉE.
498 RUE ODILE
FABREVILLE, LAVAL, QUÉBEC.
H7R 5X1

C'EST AVEC VOS PRÉCIEUX COMMENTAIRES QUE NOUS ALLONS POUVOIR MIEUX VOUS SERVIR.

DE PLUS, SI VOUS DÉSIREZ RECEVOIR UNE OU PLUSIEURS DE VOS SÉRIES HARLEQUIN PRÉFÉRÉE(S) À VOTRE DOMICILE, NE TARDEZ PAS À CONTACTER LE SERVICE D'ABONNEMENT; EN APPELANT AU (514) 875-4444 (RÉGION DE MONTRÉAL) OU 1-800-667-4444 (EXTÉRIEUR DE MONTRÉAL) OU TÉLÉCOPIEUR (514) 523-4444 OU COURRIER ELECTRONIQUE: AQCOURRIER@ABONNEMENT.QC.CA OU EN ÉCRIVANT À:

ABONNEMENT QUÉBEC
525 RUE LOUIS-PASTEUR
BOUCHERVILLE, QUÉBEC
J4B 8E7

MERCI, À L'AVANCE, DE VOTRE COOPÉRATION.

BONNE LECTURE.

HARLEQUIN.

VOTRE PASSEPORT POUR LE MONDE DE L'AMOUR.

COLLECTION HORIZON

Des histoires d'amour romantiques qui vous mènent au bout du monde!

Découvrez la passion et les vives émotions qu'apportent à la Collection Horizon des auteurs de renommée internationale!

Captivantes, voire irrésistibles, ces histoires d'amour vous iront assurément droit au coeur.

Surveillez nos trois nouveaux titres chaque mois!

L'ASTROLOGIE EN DIRECT
TOUT AU LONG
DE L'ANNÉE.

(France métropolitaine uniquement)

Par téléphone 08.92.68.41.01

0,34 € la minute (Serveur JET MULTIMÉDIA).

Composé et édité par les
éditions Harlequin
Achevé d'imprimer en mars 2006

BUSSIÈRE
GROUPE CPI

à Saint-Amand-Montrond (Cher)
Dépôt légal : avril 2006
N° d'imprimeur : 60341 — N° d'éditeur : 11990

Imprimé en France